Geografía

Cuarto grado

Geografía. Cuarto grado fue desarrollado por la Dirección General de Materiales Educativos (DGME), de la Subsecretaría de Educación Básica, Secretaría de Educación Pública.

Secretaría de Educación Pública
Alonso Lujambio Irazábal

Subsecretaría de Educación Básica
José Fernando González Sánchez

Dirección General de Materiales Educativos
María Edith Bernáldez Reyes

Coordinación técnico-pedagógica
María Cristina Martínez Mercado, Ana Lilia Romero Vázquez, Alexis González Dulzaides

Autores
María de Lourdes Romero Ocampo, María Alejandra Acosta García, Sheridan González Martínez, Luis Reza Reyes,

Revisión técnico-pedagógica
Ana Flores Montañez, Edith Vázquez Zacarías, Tania Vanesa Eunice Sánchez Vázquez
Daniela Aseret Ortiz Martinez

Asesores
Lourdes Amaro Moreno, Leticia María de los Ángeles González Arredondo, Óscar Palacios Ceballos

Coordinación editorial
Dirección Editorial, DGME/SEP
Alejandro Portilla de Buen, Zamná Heredia Delgado

Cuidado editorial
Eréndira Daniela Verdugo Montero

Producción editorial
Martín Aguilar Gallegos

Diseño y formación
Magali Gallegos Vázquez

Investigación iconográfica
Diana Mayén Pérez
Martín Córdoba Salinas

Portada
Diseño de colección: Carlos Palleiro
Ilustración de portada: Julián Cicero

Primera edición, 2010
Segunda edición, 2011 (ciclo escolar 2011-2012)

ISBN: 978-607-469-710-0

Impreso en México

Agradecimientos
La Secretaría de Educación Pública agradece a los más de 23 284 maestros y maestras, a las autoridades educativas de todo el país, al Sindicato Nacional de Trabajadores de la Educación, a expertos académicos, a los Coordinadores Estatales de Asesoría y Seguimiento para la Articulación de la Educación Básica, a los Coordinadores Estatales de Asesoría y Seguimiento para la Reforma de la Educación Primaria, a monitores, asesores y docentes de escuelas normales, por colaborar en la revisión de las diferentes versiones de los libros de texto llevada a cabo durante las Jornadas Nacionales y Estatales de Exploración de los Materiales Educativos y las Reuniones Regionales realizadas en 2009. Así como a la Dirección General de Desarrollo Curricular, a la Dirección General de Educación Indígena y a la Dirección General de Desarrollo de la Gestión e Innovación Educativa.

La SEP extiende un especial agradecimiento a la Organización de Estados Iberoamericanos para la Educación, la Ciencia y la Cultura (OEI), por su participación en el desarrollo de esta edición.

También se agradece el apoyo de las siguientes instituciones: Universidad Autónoma Metropolitana, Universidad Nacional Autónoma de México, Centro de Educación y Capacitación para el Desarrollo Sustentable de la Secretaría del Medio Ambiente y Recursos Naturales, Secretaría del Trabajo y Previsión Social, Ministerio de Educación de la República de Cuba. Asimismo, la Secretaría de Educación Pública extiende su agradecimiento a todas aquellas personas e instituciones que de manera directa e indirecta contribuyeron a la realización del presente libro de texto.

PRESENTACIÓN

La Secretaría de Educación Pública, en el marco de la Reforma Integral de la Educación Básica, plantea un nuevo enfoque de libros de texto que hace énfasis en el trabajo y las actividades de los alumnos para el desarrollo de las competencias básicas para la vida. Este enfoque incorpora como apoyo Tecnologías de la Información y Comunicación (TIC), materiales y equipamientos audiovisuales e informáticos que, junto con las bibliotecas de aula y escolares, enriquecen el conocimiento en las escuelas mexicanas.

Este libro de texto integra estrategias innovadoras para el trabajo en el aula, demandando competencias docentes que aprovechen distintas fuentes de información, uso intensivo de la tecnología, y comprensión de las herramientas y los lenguajes que niños y jóvenes utilizan en la sociedad del conocimiento. Al mismo tiempo se busca que los estudiantes adquieran habilidades para aprender por su cuenta y que los padres de familia valoren y acompañen el cambio hacia la escuela mexicana del futuro.

Su elaboración es el resultado de una serie de acciones de colaboración con múltiples actores, como la Alianza por la Calidad de la Educación, asociaciones de padres de familia, investigadores del campo de la educación, organismos evaluadores, maestros y colaboradores de diversas disciplinas, así como expertos en diseño y edición. Todos ellos han enriquecido el contenido de este libro desde distintas plataformas y a través de su experiencia; la Secretaría de Educación Pública les extiende un sentido agradecimiento por el compromiso demostrado con cada niño residente en el territorio mexicano y con aquellos que se encuentran fuera de él.

Secretaría de Educación Pública

CONOCE TU LIBRO

Este libro ofrece una manera distinta de mirar tu medio y el mundo donde vives, pues al reconocer los elementos naturales y sociales que lo conforman, y entender cómo se relacionan y distribuyen sobre la superficie terrestre, podrás comprender por qué existen diversos espacios geográficos y la importancia de tu participación para conservar el tuyo en buenas condiciones para ti y futuras generaciones.

El libro está integrado por cinco bloques, cada uno dividido en cuatro lecciones. Cada lección inicia con una carta escrita por niños como tú, de distintas partes del país, cuya función es introducirte al tema que estudiarás.

Comencemos. En está sección identificarás qué tanto sabes sobre el contenido de la lección y el aprendizaje que adquirirás.

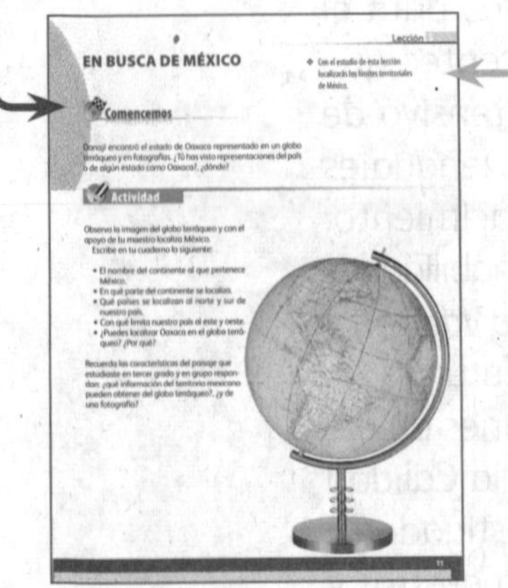

Orientan respecto al aprendizaje que se desarrolla en cada lección.

Aprendamos más. Aquí desarrollarás los temas de la lección con el propósito de que construyas nuevos conocimientos, enriquezcas los que has obtenido y desarrolles nuevas habilidades y actitudes.

Apliquemos lo aprendido. En esta sección pondrás en práctica lo que aprendiste.

Al final de cada bloque evaluarás tu aprendizaje mediante tres secciones:

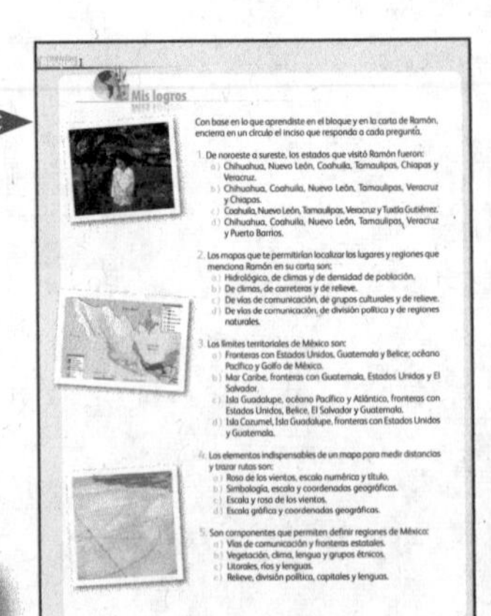

Lo que aprendí. Es una actividad que integra los contenidos de las lecciones de un bloque.

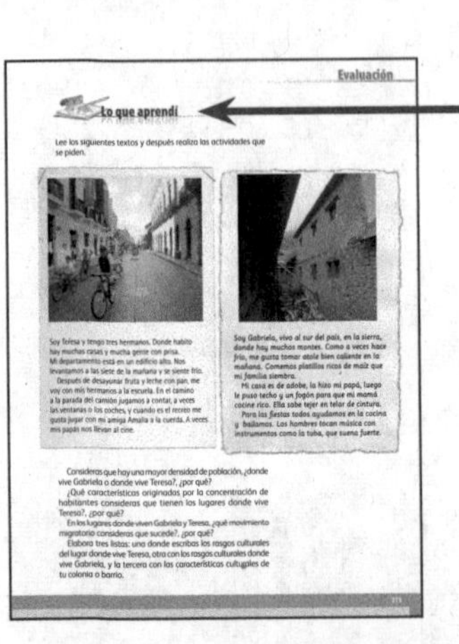

Mis logros y Autoevaluación. Son dos ejercicios para valorar tu aprendizaje y reflexionar sobre su utilidad, así como para evaluar qué aspectos necesitas mejorar.

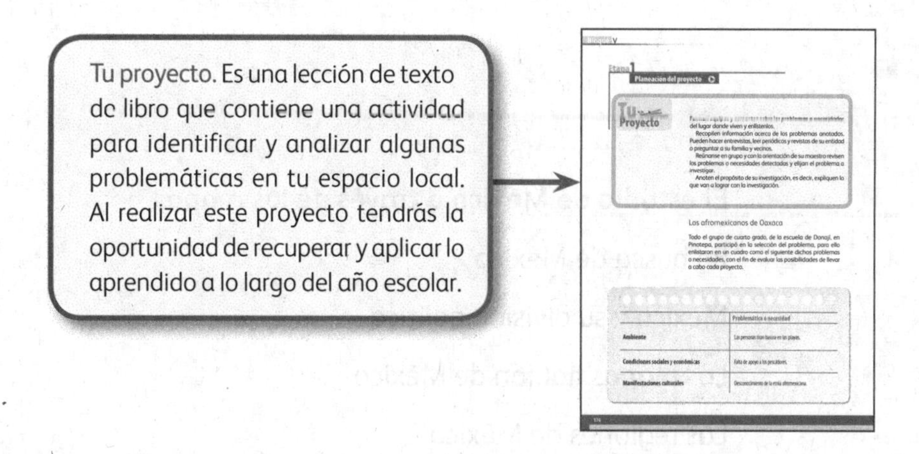

Tu proyecto. Es una lección de texto de libro que contiene una actividad para identificar y analizar algunas problemáticas en tu espacio local. Al realizar este proyecto tendrás la oportunidad de recuperar y aplicar lo aprendido a lo largo del año escolar.

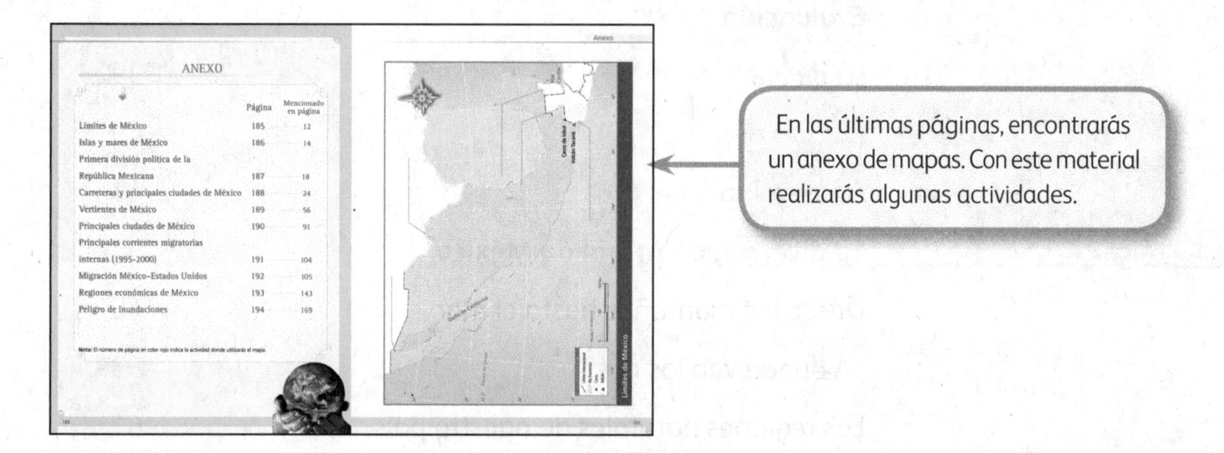

ANEXO

	Página	Mencionado en página
Límites de México	185	12
Islas y mares de México	186	14
Primera división política de la República Mexicana	187	18
Carreteras y principales ciudades de México	188	24
Vertientes de México	189	56
Principales ciudades de México	190	91
Principales corrientes migratorias internas (1995-2000)	191	104
Migración México–Estados Unidos	192	105
Regiones económicas de México	193	143
Peligro de inundaciones	194	169

En las últimas páginas, encontrarás un anexo de mapas. Con este material realizarás algunas actividades.

Además encontrarás varias secciones que complementan tu estudio de la geografía como:

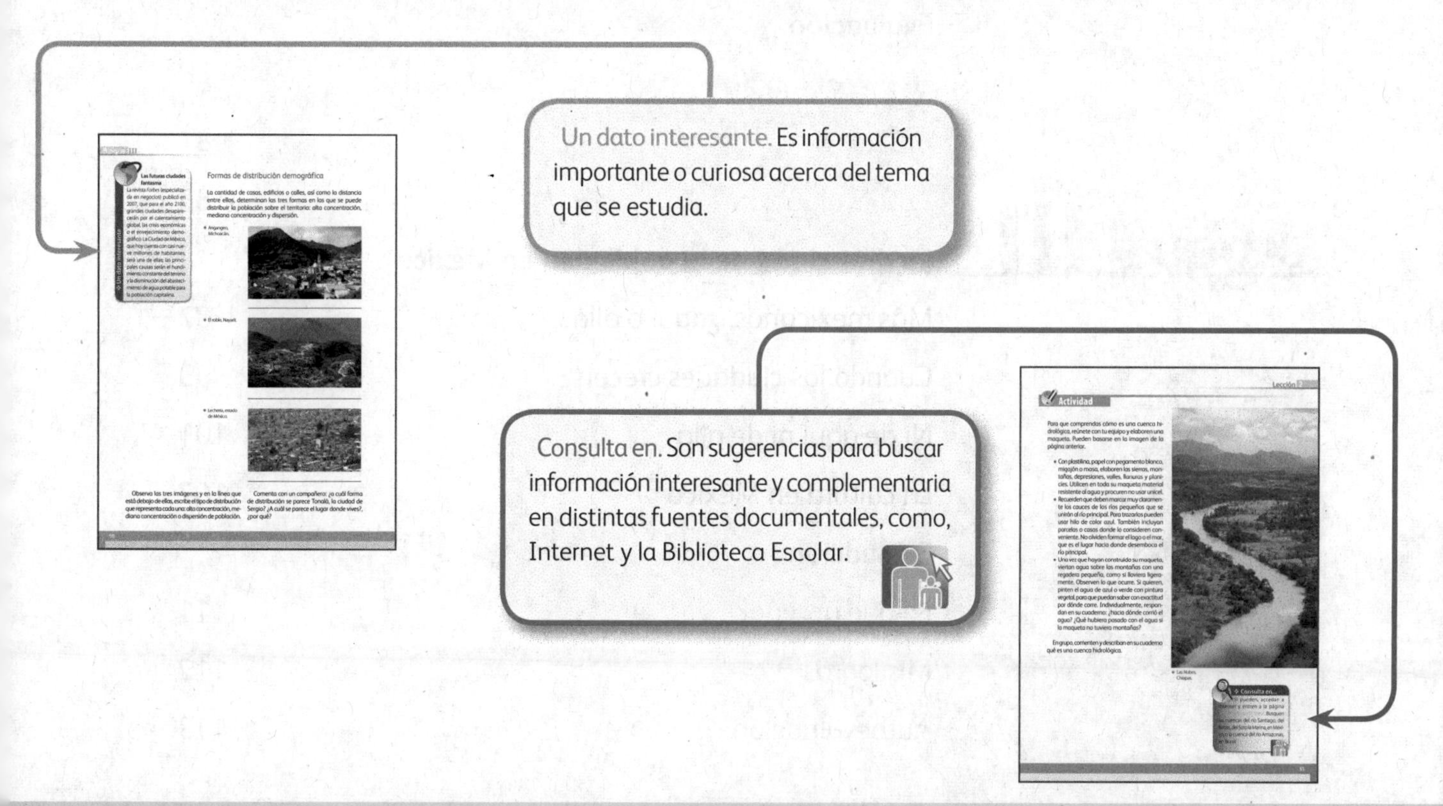

Un dato interesante. Es información importante o curiosa acerca del tema que se estudia.

Consulta en. Son sugerencias para buscar información interesante y complementaria en distintas fuentes documentales, como, Internet y la Biblioteca Escolar.

ÍNDICE

BLOQUE IV

BLOQUE V

BLOQUE I

El estudio de México a través de los mapas

Imagen tridimensional de la ciudad de Guadalajara, Jalisco, y sus alrededores.

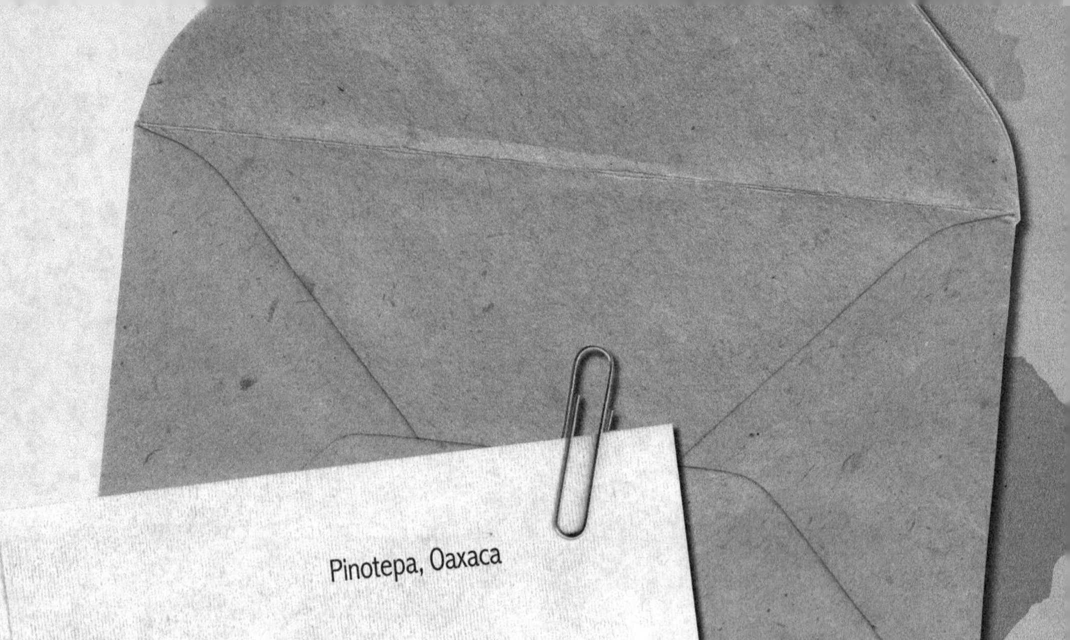

Pinotepa, Oaxaca

Hola:

Me llamo Donají y vivo en la ciudad de Pinotepa Nacional, en el estado de Oaxaca. Ayer, mi maestra de cuarto grado nos enseñó, a mí y a mis compañeros, un globo terráqueo en el que ubicamos nuestro país y el océano con el que limita la costa de Oaxaca. También vimos fotos de los estados y de los lugares que se localizan en las fronteras de México. Como nos gustaría saber más acerca de esto, la maestra nos dio la dirección de niños que estudian en otras escuelas, para escribirles una carta y pedirles que nos hablen de los lugares donde viven. A través de sus relatos, conoceremos más nuestro país.

¿Verdad que nos van a escribir?

Donají

Palacio municipal de Pinotepa Nacional, Oaxaca.

EN BUSCA DE MÉXICO

❖ Con el estudio de esta lección localizarás los límites territoriales de México.

Comencemos

Donají encontró el estado de Oaxaca representado en un globo terráqueo y en fotografías. ¿Tú has visto representaciones del país o de algún estado como Oaxaca?, ¿dónde?

Actividad

Observa la imagen del globo terráqueo y con el apoyo de tu maestro localiza México.

Escribe en tu cuaderno lo siguiente:

- El nombre del continente al que pertenece México.
- En qué parte del continente se localiza.
- Qué países se localizan al norte y sur de nuestro país.
- Con qué limita nuestro país al este y oeste.
- ¿Puedes localizar Oaxaca en el globo terráqueo? ¿Por qué?

Recuerda las características del paisaje que estudiaste en tercer grado y en grupo respondan: ¿qué información del territorio mexicano pueden obtener del globo terráqueo?, ¿y de una fotografía?

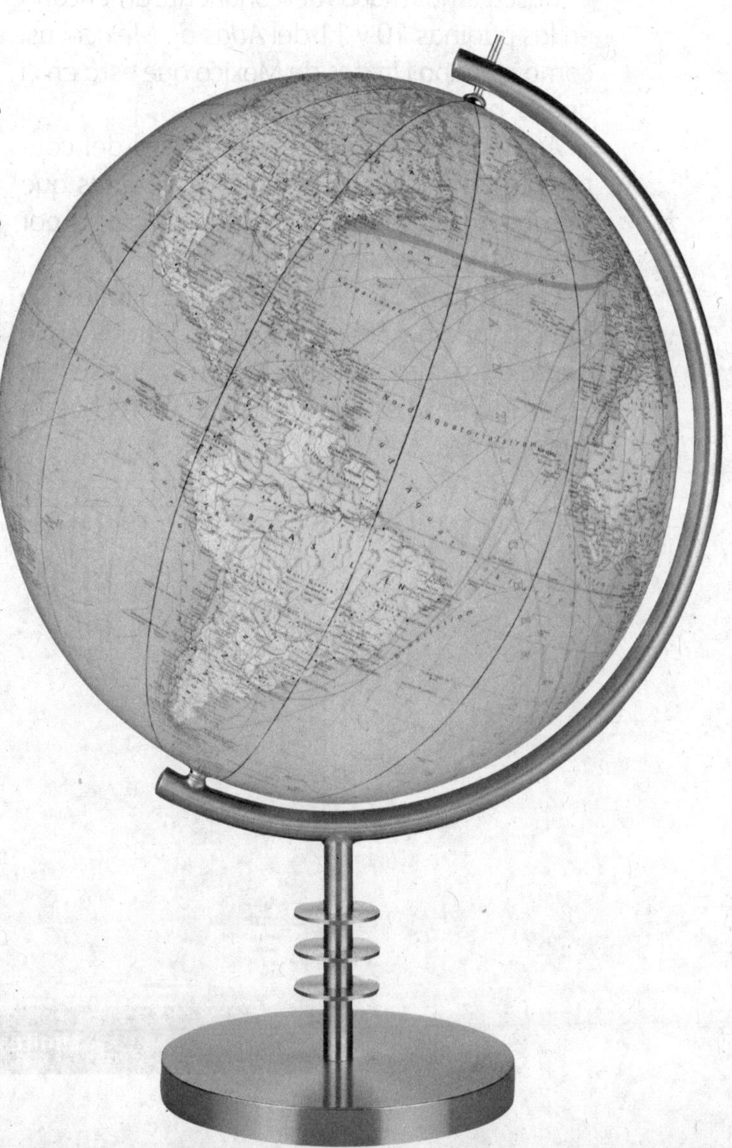

Aprendamos más

Como observaste, en el globo terráqueo se pueden localizar países como México; si le pudieras dar la vuelta, descubrirías que existen más países sobre porciones de tierra llamadas continentes, que están separadas por enormes cantidades de agua salada llamadas océanos.

México se localiza en el continente americano, el más largo del mundo y, como todos los países, tiene límites que le dan forma y extensión a su territorio.

Exploremos

En parejas identifiquen los límites del país.

Observen los mapas del continente americano en las páginas 10 y 11 del *Atlas de México*, así como el mapa Límites de México que está en el anexo, página 185.

Anoten en su cuaderno los países del continente americano que son más grandes que México y el lugar que ocupa nuestro país por su extensión dentro del continente.

En la rosa de los vientos del mapa Límites de México, página 185, coloquen la letra N en la punta que marca el norte, la S en la que señala el sur, la E en el este u oriente y la O en el oeste u occidente.

Tracen con color azul los ríos que están en el límite entre México y los países vecinos. Anoten sus nombres en las líneas que los señalan.

Con diferentes colores, coloreen el país vecino del norte y los países vecinos del sureste de México. Anoten sus nombres.

Escriban en el lugar correspondiente, los nombres del Golfo de México y del océano Pacífico.

Comparen sus mapas con los de sus compañeros y comenten qué tienen de diferente.

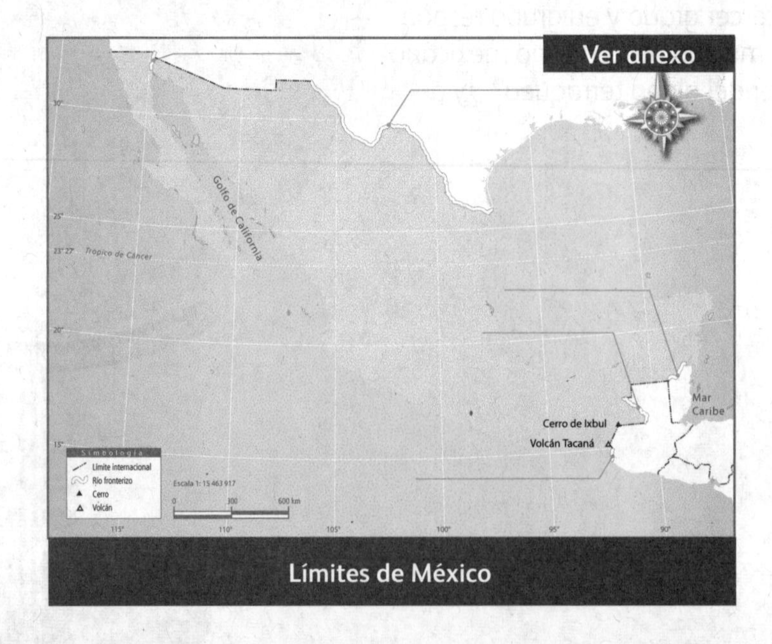

Límites de México

Fronteras o límites de México

Así como el lugar donde vives se encuentra separado de otros mediante alambrados, cercas o plantas, en el mundo existen límites para saber hasta dónde se extiende el territorio de cada país. A estos límites internacionales se les llama fronteras.

Las fronteras se han establecido y modificado, generalmente, como resultado de conflictos entre las naciones, las cuales finalmente negocian los lugares donde quedarán los límites de su territorio.

Para establecer dónde termina un país y empieza otro, se marcan límites convencionales que pueden utilizar elementos naturales, como ríos, montañas o lagos. También pueden señalarse con monumentos, cercas o muros a los que se les llama fronteras artificiales.

México tiene fronteras naturales y artificiales con Estados Unidos, Guatemala y Belice.

Consulta en...

Si tienen acceso a Internet, entren a la página http://cuentame.inegi.gob.mx/territorio/vecinos.aspx?tema=T y lean el artículo "Los vecinos de México", para que conozcan más acerca de los límites naturales y artificiales de las fronteras, así como de su importancia.

El río Suchiate es el límite natural que define la frontera entre México (a la izquierda) y Guatemala.

Actividad

Observa la imagen que corresponde al río Bravo y a las ciudades de Nuevo Laredo, México, y Laredo, Texas, y junto con un compañero contesten las siguientes preguntas en su cuaderno.

El río Bravo divide las ciudades de Nuevo Laredo, México (a la izquierda) y Laredo, Texas, Estados Unidos (a la derecha).

- ¿Qué países y ciudades tienen al río Bravo como límite común?
- ¿Qué importancia tiene el río para ambos países?

Anoten las diferencias entre las ciudades o poblados que están en ambos lados de la frontera y coméntenlas en grupo.

Islas, litorales y mares mexicanos

✣ Un dato interesante

En el Golfo de California existen 244 islas consideradas patrimonio de la humanidad y habitan 90 especies de peces que son exclusivas de México, por ejemplo, el pez marlín y el totoaba.

Además de las fronteras terrestres, algunos países tienen límites en el mar. México extiende sus límites sobre el océano Pacífico, el Golfo de México y el Mar Caribe.

Las porciones del océano que pertenecen a México se conocen como Mar Patrimonial y se miden desde la línea costera o litoral, hasta 370.4 kilómetros mar adentro.

El Mar Patrimonial se divide en dos: el mar territorial, que es el más próximo al litoral, y la zona económica exclusiva. Su extensión y distribución las puedes observar en el mapa Islas y mares de México, que está en el anexo, página 186, y en la página 21 de tu *Atlas de México*.

En los océanos que rodean a México hay numerosas islas que también son parte del territorio nacional. Algunas son muy importantes por la fauna marina que poseen, por el turismo que atraen y porque su localización permite extender el Mar Patrimonial, como ocurre con las islas Revillagigedo.

Una isla es una porción de tierra firme o rocas, rodeada de agua. México tiene más de 3 000 islas que se encuentran en su Mar Patrimonial, además de las que se localizan en los ríos, lagos, lagunas y presas.

Exploremos

En equipo, observen el mapa Islas y mares de México, localizado en la página 186 del anexo y discutan las siguientes preguntas:

- ¿Qué islas se observan en el mapa?
- ¿Qué litoral es más largo?
- ¿Qué entidades tienen litoral?
- ¿Qué diferencias observan entre el litoral de Veracruz y el de Jalisco?

Después, investiguen por qué son importantes los océanos que rodean el territorio de México. Pueden buscar en los Libros del Rincón, de la Biblioteca Escolar. Comenten lo que investigaron en grupo.

En las actividades anteriores identificaste los límites de México y la extensión de su superficie. Ese espacio es su territorio, en él habita y se desenvuelve la población.

El territorio no sólo se conforma por una porción de tierra, también lo forman los ríos, los mares y el espacio aéreo que está dentro del país. Lo que indica que México es dueño del agua, el suelo y el subsuelo, así como de los recursos naturales que ahí se encuentran. Esta es la razón por la que, a través del tiempo, los países han defendido con tanto empeño sus territorios.

La extensión y forma del territorio mexicano han cambiado a lo largo del tiempo, como resultado de invasiones y conflictos con distintas naciones. Esto lo estudiarás en tus clases de historia, que te ayudarán a entender su forma y extensión actual.

Formen un círculo con sus bancas para jugar al cartero fronterizo.

Debe haber una banca menos con respecto al número de participantes. Cada uno elegirá un lugar de los enlistados abajo. No importa que dos compañeros elijan el mismo.

El cartero fronterizo

El participante que se haya quedado sin banca pasará al centro y será el cartero. El juego comienza cuando el cartero dice en voz alta una de las siguientes frases:

"El cartero llegó y trajo cartas para la frontera norte"
"El cartero llegó y trajo cartas para la frontera sur"
"El cartero llegó y trajo cartas para los límites al este"
"El cartero llegó y trajo cartas para los límites al oeste"

Los participantes que hayan elegido un elemento natural o un país fronterizo que está en el punto cardinal mencionado en la frase, se levantarán y cambiarán de banca, mientras el cartero intentará ganar una silla desocupada.

Quien quede sin silla ocupará el lugar del cartero y gritará una frase distinta a la anterior.

Al final del juego, ya que hayan cambiado todos de lugar, comenten qué pasaría si no existieran las fronteras de México.

Finalmente, escribe una carta para Donají. Cuéntale cómo es el lugar donde vives, qué es lo que más te gusta de tu estado, cuáles son sus límites, dónde está, si es más grande o chico que los estados vecinos, entre otras cosas que sabes y te interesa compartir.

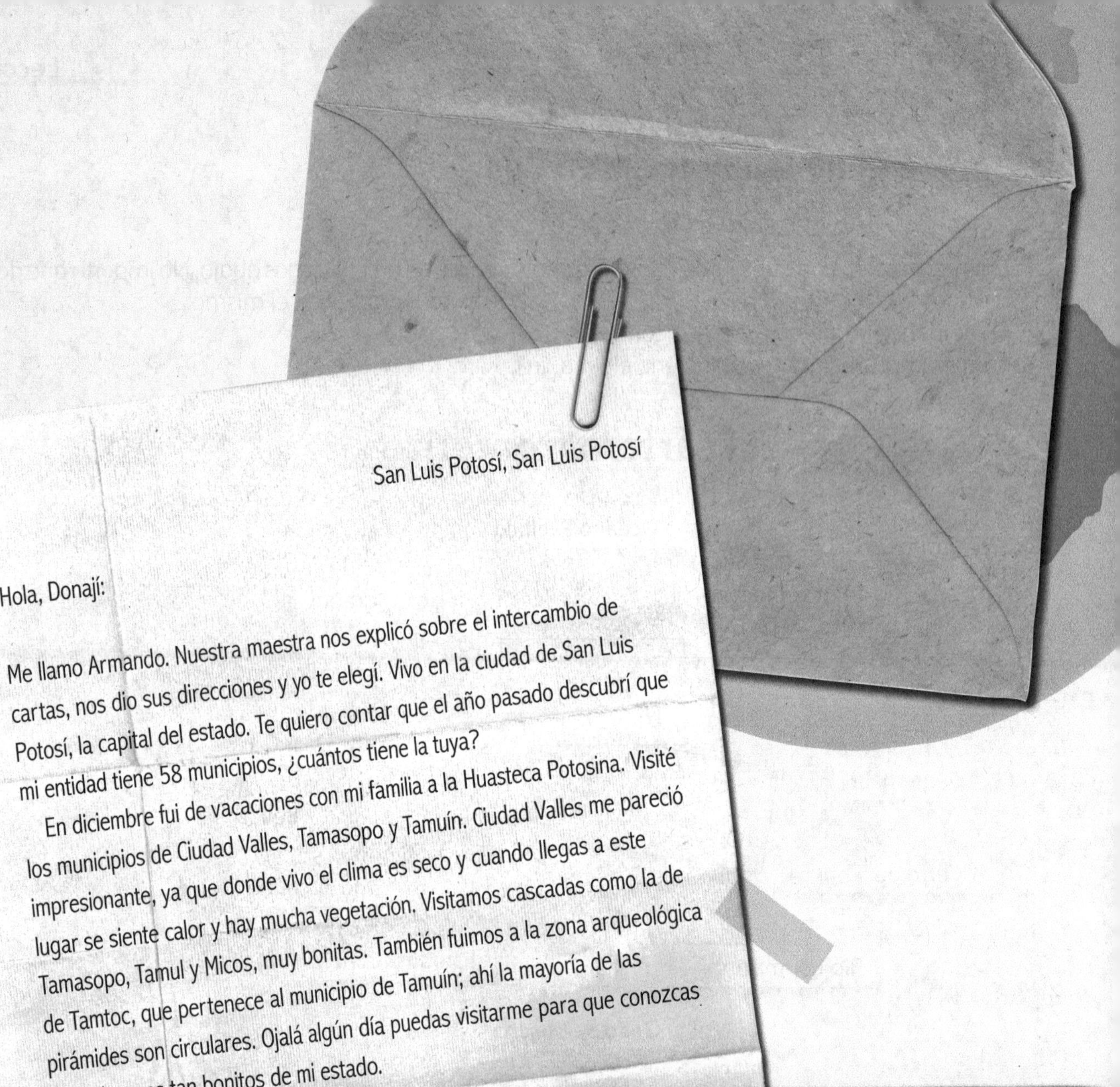

San Luis Potosí, San Luis Potosí

Hola, Donají:

Me llamo Armando. Nuestra maestra nos explicó sobre el intercambio de cartas, nos dio sus direcciones y yo te elegí. Vivo en la ciudad de San Luis Potosí, la capital del estado. Te quiero contar que el año pasado descubrí que mi entidad tiene 58 municipios, ¿cuántos tiene la tuya?

En diciembre fui de vacaciones con mi familia a la Huasteca Potosina. Visité los municipios de Ciudad Valles, Tamasopo y Tamuín. Ciudad Valles me pareció impresionante, ya que donde vivo el clima es seco y cuando llegas a este lugar se siente calor y hay mucha vegetación. Visitamos cascadas como la de Tamasopo, Tamul y Micos, muy bonitas. También fuimos a la zona arqueológica de Tamtoc, que pertenece al municipio de Tamuín; ahí la mayoría de las pirámides son circulares. Ojalá algún día puedas visitarme para que conozcas estos lugares tan bonitos de mi estado.

Armando

Cascada Tamul, en la Huasteca Potosina.

MÉXICO Y SU DIVISIÓN POLÍTICA

❖ Con el estudio de esta lección explicarás la división política de México.

Comencemos

Al igual que Armando, describe en qué municipios o delegaciones de tu entidad se encuentran los lugares que más te gustan.

Dibújalos en tu cuaderno y contesta lo siguiente.

¿Cómo se llama tu entidad?, ¿cuántos municipios o delegaciones tiene?, ¿en cuál vives?

Un dato interesante

En México, la entidad federativa con mayor número de municipios es Oaxaca, con 570; los estados con menos municipios son: Baja California y Baja California Sur, con cinco cada uno.

Actividad

Con ayuda de la tabla que está en la página 20 de este libro y de tu *Atlas de México* completa el siguiente esquema.

Entidades al norte: __________
Número de municipios: __________

Entidades al oeste: __________
Número de municipios: __________

Mi entidad es: __________
Número de municipios o delegaciones: __________
Mi municipio o delegación es: __________

Entidades al este: __________
Número de municipios: __________

Entidades al sur: __________
Número de municipios: __________

Consulta en...

Si quieres conocer más sobre la división política de México y tienes Internet, entra a la sección de juegos de la página Cuéntame: http://cuentame.inegi.org.mx.

La división territorial de México

El nombre oficial de México es Estados Unidos Mexicanos, constituye una república federal por su tipo de gobierno, por lo que también se llama República Mexicana.

Como viste en la lección anterior, México tiene un territorio que de acuerdo con las necesidades de la sociedad, se divide en estados; éstos, a su vez, se dividen en municipios, los cuáles han cambiado a lo largo de la historia de nuestro país.

Exploremos

Calca el mapa de la página 20 del *Atlas de México* con sus nombres en una hoja transparente, mica o papel cebolla. Consérvalo, ya que lo vas a utilizar en otras lecciones.

Reúnete con un compañero, coloquen su mapa transparente de división política sobre el mapa Primera división política de la República Mexicana, que está en el anexo, página 187, y respondan en su cuaderno las siguientes preguntas:

- ¿Qué diferencias observas entre estos mapas?
- ¿Cuál de los dos el territorio de México tiene mayor extensión?
- ¿Cómo era tu entidad en la primera división política de la República Mexicana?
- ¿Cuántas entidades tenía el país en 1824 y cuántas tiene actualmente?

Investiguen cuáles han sido los últimos cambios en la división política de su entidad, su municipio o delegación y cuáles han sido las causas. Presenten en el grupo el resultado de su investigación.

Ver anexo

División política en 1824

Para gobernar, organizar y administrar su territorio, México está integrado por 32 entidades federativas: 31 estados y el Distrito Federal, que es la capital del país. Cada estado tiene su capital. Los estados están divididos a su vez en municipios, los cuales suman 2 454 en todo el país. Por su parte, el Distrito Federal se integra por 16 delegaciones políticas.

De acuerdo con la Constitución de 1917, los estados son libres y soberanos, y tienen una constitución propia, a excepción del Distrito Federal, que se guía por la constitución federal, pero al igual que los estados tiene un gobernante propio.

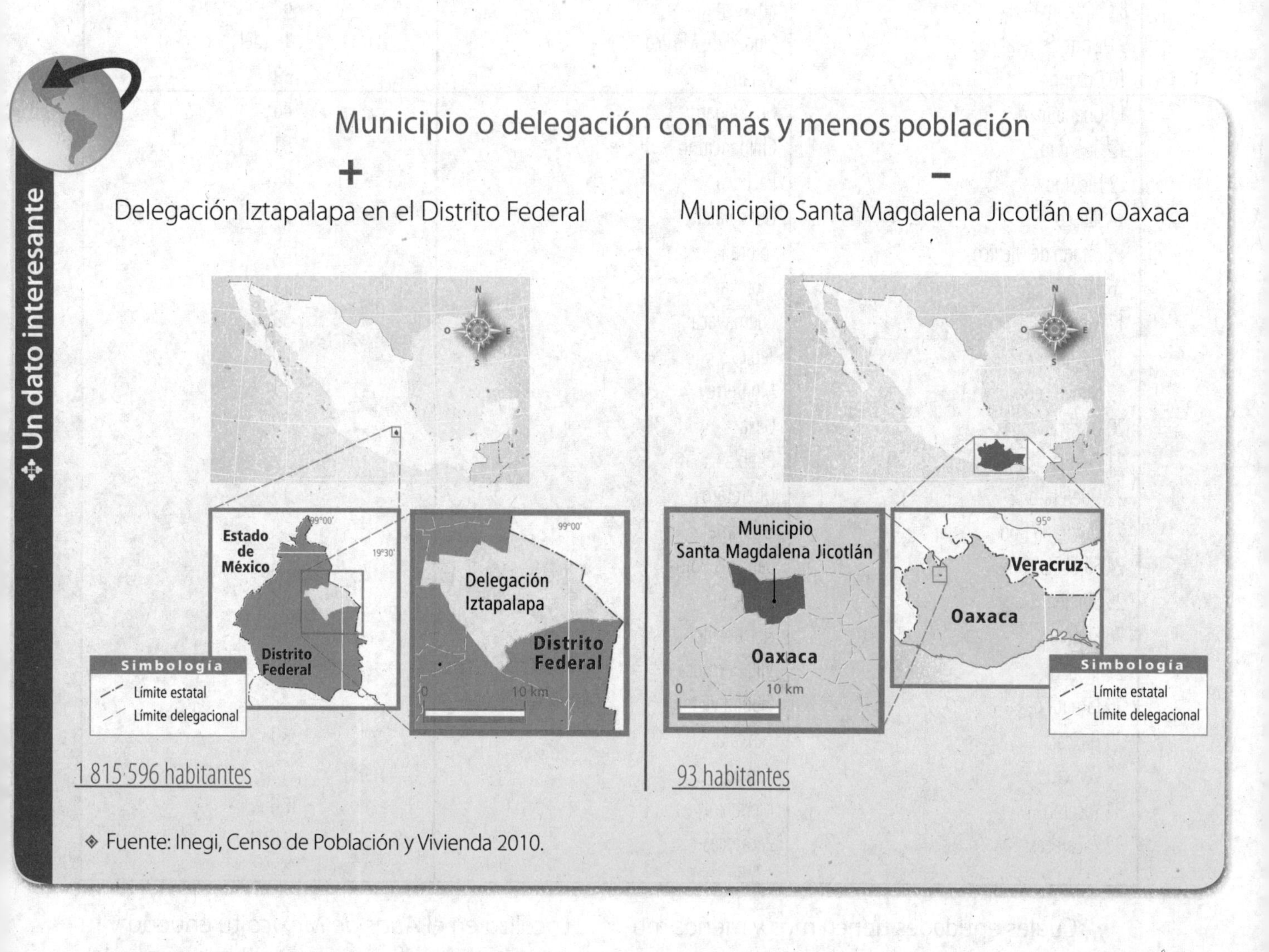

Actividad

Observa la siguiente tabla, subraya tu entidad con un color y contesta las preguntas.

Entidades federativas		
Entidad	**Capital**	**Número de municipios**
1 Aguascalientes	Aguascalientes	11
2 Baja California	Mexicali	5
3 Baja California Sur	La Paz	5
4 Campeche	Campeche	11
5 Coahuila	Saltillo	38
6 Colima	Colima	10
7 Chiapas	Tuxtla Gutiérrez	118
8 Chihuahua	Chihuahua	67
9 Distrito Federal	Ciudad de México	16 (delegaciones)
10 Durango	Durango	39
11 Guanajuato	Guanajuato	46
12 Guerrero	Chilpancingo	81
13 Hidalgo	Pachuca	84
14 Jalisco	Guadalajara	124
15 Estado de México	Toluca	125
16 Michoacán	Morelia	113
17 Morelos	Cuernavaca	33
18 Nayarit	Tepic	20
19 Nuevo León	Monterrey	51
20 Oaxaca	Oaxaca	570
21 Puebla	Puebla	217
22 Querétaro	Querétaro	18
23 Quintana Roo	Chetumal	8
24 San Luis Potosí	San Luis Potosí	58
25 Sinaloa	Culiacán	18
26 Sonora	Hermosillo	72
27 Tabasco	Villahermosa	17
28 Tamaulipas	Ciudad Victoria	43
29 Tlaxcala	Tlaxcala	60
30 Veracruz	Xalapa	212
31 Yucatán	Mérida	106
32 Zacatecas	Zacatecas	58

- ¿Cuáles entidades tienen más y menos municipios?
- ¿Cuántos municipios tiene tu entidad?

Subraya las entidades que tienen límite con tu entidad. ¿Cuál de ellas tiene un mayor número de municipios?

Localiza en el *Atlas de México* tu entidad y tu municipio e identifica cuántas cabeceras municipales tienen más de 50 mil habitantes.

Comenta tus respuestas con tus compañeros.

Apliquemos lo aprendido

En tu *Atlas de México* observa el mapa de la página 38 y realiza las siguientes actividades.

Señala en el mapa el camino que seguiría Donají desde Oaxaca, para visitar a Armando en San Luis Potosí. ¿Por cuáles entidades tiene que pasar para llegar? ¿Atraviesa tu entidad? Si no es así, sigue la ruta de San Luis Potosí a tu entidad. ¿Qué entidades quedaron sin recorrer? Comenta las respuestas con tus compañeros.

Después, organizados en equipos, elaboren un rompecabezas del mapa de México.

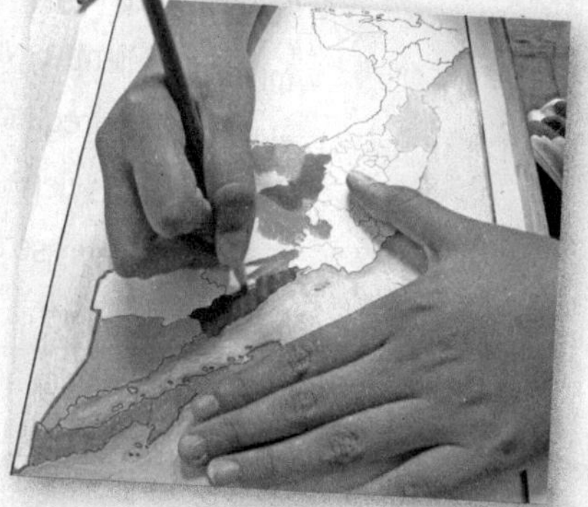

Material

- Un mapa de México con división política, sin nombres, tamaño carta o más grande (puedes calcarlo del anexo de este libro).
- Colores.
- Tijeras.
- Una base de cartón del tamaño del mapa para colocar las piezas.

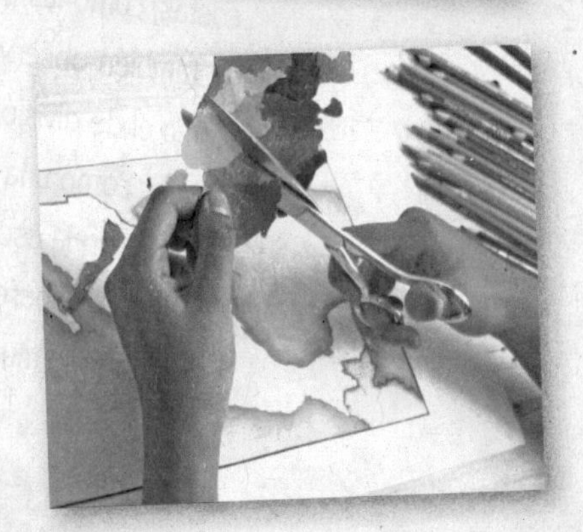

Instrucciones

- Coloreen en el mapa las entidades, los países fronterizos y los océanos. Anoten los nombres en el lugar correspondiente.
- Recorten la silueta de México. El resto del mapa péguenlo en la base para que quede como marco.
- Recorten cada una de las entidades. Las más pequeñas pueden agruparlas con otra de mayor tamaño.

Ahora pueden jugar a armarlo

Para ello, pídanle a su maestro que mencione una entidad y les pregunte algo acerca de esta lección. Sólo si contestan correctamente pueden colocar la entidad en el lugar que le corresponde, si no, pierden el turno para colocar su pieza. Gana el equipo que arme primero el rompecabezas.

Guaymas, Sonora

Hola, Donají:

El sábado fui con mi familia a ver a mi tío Hugo, que vive en Ciudad Obregón, Sonora. Para llegar a su casa tomamos la carretera hacia el sur, eso me dijo mi mamá. Mientras viajábamos, contemplaba el mar de un lado y las montañas del otro. Me preguntaba qué hay detrás de esas montañas y por qué a veces las carreteras tienen muchas curvas.

Cuando regresé a la escuela trabajamos con mapas y me di cuenta de que en éstos venía la respuesta a la pregunta que me hice durante el viaje: las carreteras son más curvas en los lugares donde hay montañas, como en el centro del país, y son casi rectas donde no hay montañas y cerca de las costas, como las que hay en mi estado.

También observé cómo mi ciudad desaparece en un mapa de escala chica, como el de división política de México, pero al agrandarla se puede ver al menos como una mancha. En tu estado, ¿cómo son las carreteras?, ¿ya estudiaron la escala?, ¿le entendiste?

Bueno, espero que me respondas pronto.

Te mando muchos saludos desde este lindo lugar.

Carolina

◈ Puerto de Guaymas, Sonora.

LOS MAPAS HABLAN DE MÉXICO

❖ Con el estudio de esta lección analizarás mapas de México a partir de sus elementos.

Comencemos

Como acabas de leer en la carta, los mapas nos permiten obtener información diversa sobre las características de un lugar, su relieve, sus carreteras o sus ciudades. Además, tienen varios elementos, entre ellos la escala.

¿Qué elementos de los mapas conoces? ¿Qué información puedes obtener de ellos?

Actividad

En la carta anterior, subraya la información que consideras que es posible representar en un mapa.

Reúnete con un compañero, revisen los mapas que hay en este libro y elaboren una lista en su cuaderno con la información que contienen.

En grupo, hagan una bola de papel y láncenla hacia algún compañero. Él y la persona que esté a su lado derecho deberán decir uno de los elementos del mapa que les sirven para obtener información. Una vez que respondan, lanzarán la bola de papel hacia otra pareja para que mencionen otro elemento del mapa. Al final, enlisten en el pizarrón todas las partes del mapa o elementos que les brindan información.

Los mapas nos permiten localizar desde un poblado pequeño, como una ranchería, hasta un territorio extenso, como un país. Para obtener esa información es importante aprender a leerlos. Esto lo lograrás reconociendo y utilizando sus elementos.

Guaymas, Sonora

Consulta en...

Consulten el libro de Bárbara Taylor, *Cómo se hace un mapa,* que encontrarán en la colección Libros del Rincón de la Biblioteca Escolar.

Aprendamos más

De la misma forma que aprendiste a leer textos, puedes aprender a leer mapas. Para empezar, debes conocer, leer e interpretar sus elementos.

Los elementos de los mapas son: título, rosa de los vientos, simbología, escala y coordenadas.

Comenten en grupo qué elementos de los mapas reconocieron en la actividad en la que se lanzaron la bola de papel.

Ver anexo

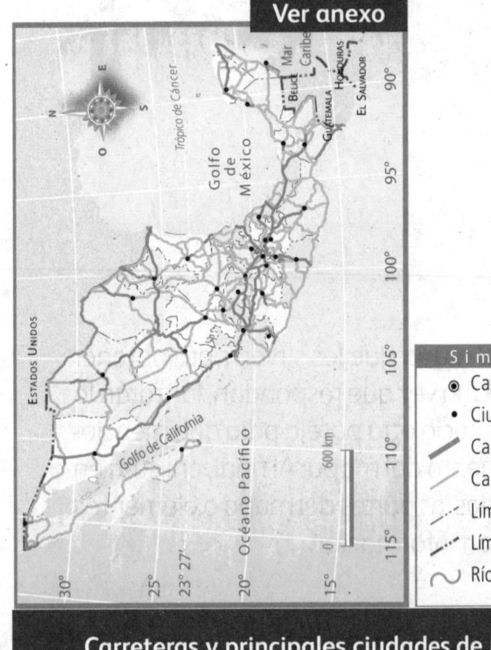

Carreteras y principales ciudades de México

Exploremos

Para obtener información de los mapas a través de sus elementos, realiza las siguientes actividades.

Lee sólo el título del mapa que está en la página 188 del anexo y anota en el cuaderno toda la información que consideras que podrías encontrar dentro de él.

Busca la rosa de los vientos en el mapa, rodea con un color el punto cardinal que corresponde a la frontera con Estados Unidos y con otro el punto cardinal de la frontera con Guatemala.

Si vives en Aguascalientes y quieres ir a Tampico, ¿en qué dirección debes viajar? Escribe con un color distinto, en los dos estados anteriores, el punto cardinal que indica esa dirección. ¿Qué punto cardinal no utilizaste en la rosa de los vientos? Escríbelo en el mapa.

Reúnete con un compañero y comenten si fue difícil responder estas preguntas y por qué.

En grupo, comenten si consideran que está mal colocado el mapa de arriba y expliquen por qué.

Símbolos, más que dibujos y colores

Otro de los elementos de los mapas es la simbología. Ésta se vale de dibujos, líneas, círculos, colores y otras figuras para crear símbolos que representan objetos reales o condiciones de un lugar: el relieve, los ríos, los minerales, las construcciones, la producción pesquera, entre otros.

La simbología puede ser muy variada, dependiendo de la información que se quiera representar y destacar. Hay mapas que describen la información con colores, como varios de los que contiene tu *Atlas de México*; pero hay otros que utilizan gráficas, por ejemplo, los mapas de las actividades económicas.

La rosa de los vientos más grande del mundo está dibujada en el suelo de una base aérea del desierto en el sur de California, Estados Unidos, y ayuda á las aeronaves a orientarse.

Exploremos

Revisa el mapa de climas que está en tu *Atlas de México*, página 16. Identifica el clima que predomina en nuestro país y el que menos extensión abarca tiene. Organizados en equipo, elijan uno de los dos climas y dibujen un paisaje que lo represente.

Respondan en grupo:

- ¿Qué estados tienen regiones con clima seco? Pueden apoyarse utilizado el mapa semitransparente que calcaron en la lección anterior.
- ¿Qué elementos del mapa utilizaron para resolver los puntos anteriores.

Los mapas de climas y de división política te permitieron reconocer los tipos de clima de nuestro país, su distribución y su extensión, mediante la simple lectura de líneas y colores distintos. Pero hay otros mapas, llamados pictográficos, cuya simbología se representa a través de dibujos sencillos, como los que se hacían antiguamente. Observa el siguiente ejemplo.

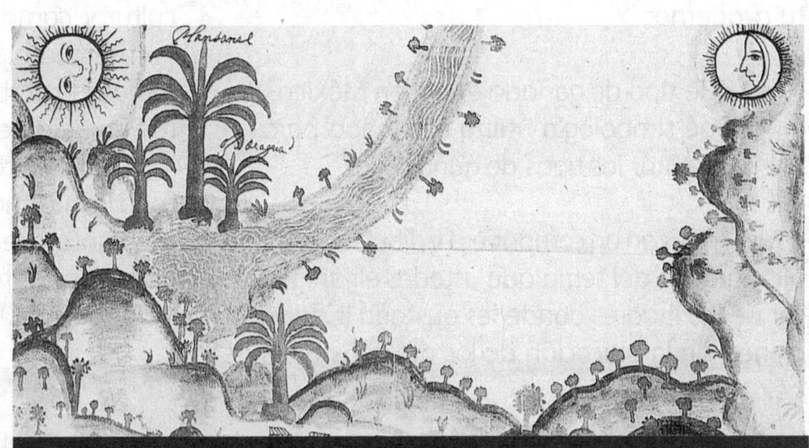

Mapa pictográfico de Quechultenango, Colotlipa y Chilapa, Guerrero

Algunos mapas combinan los colores y los dibujos. Un ejemplo son los económicos, que representan actividades agrícolas, ganaderas o industriales.

Conforme aumenta la información a representar en un mapa, la simbología se vuelve más variada y en ocasiones más complicada. Hay mapas que incluyen colores, dibujos y gráficas de distintos tamaños y que requieren mayor entrenamiento para su lectura e interpretación.

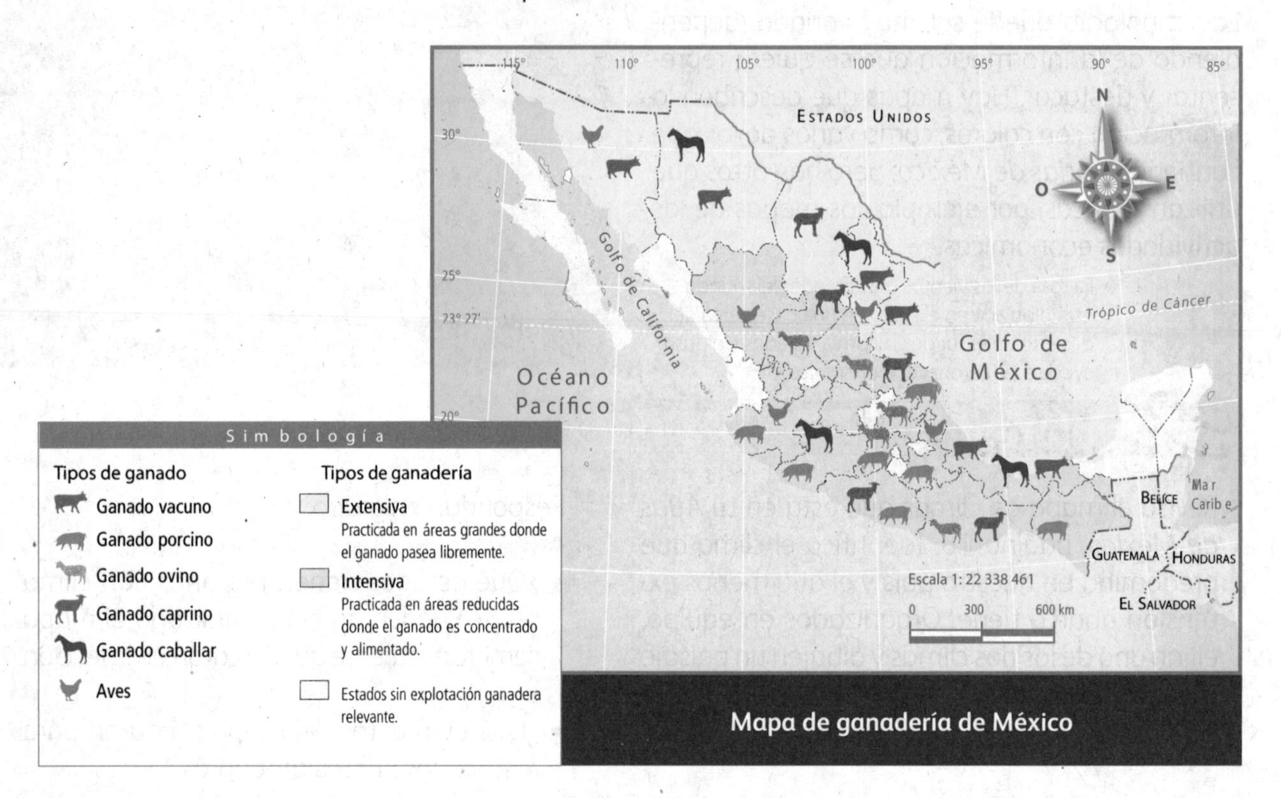

Mapa de ganadería de México

Actividad

Observa el mapa de ganadería y responde en tu cuaderno:

- ¿Qué tipo de ganado existe en México?
- ¿Qué simbología utiliza ese mapa para representar los tipos de ganadería?

Reúnete con un compañero y dibujen un mapa pictográfico del tema que ustedes elijan. Puede ser de los lugares donde les gustaría ir de vacaciones, de la ubicación de los distintos tipos de animales y plantas o de las zonas de patrimonio cultural, como zonas arqueológicas e históricas.

Intercámbienlo con otra pareja y observen los temas y la simbología que usaron. Comenten cuál fue la mejor representación y por qué.

En equipo, comenten y escriban en su cuaderno toda la información de México que reconocieron mediante la lectura de los símbolos utilizados en los mapas anteriores de esta lección.

Escalas, ¿por qué reducimos?

Para continuar con la lectura de los mapas, es necesario aprender qué es la escala. ¿Recuerdas que Carolina te escribió que su ciudad no aparece en un mapa de escala pequeña?, ¿qué tuvo que hacer para verla? Coméntalo en grupo.

La escala de un mapa indica cuántas veces se redujo un objeto o lugar para ser representado. Por ejemplo, un dibujo de escala 1 a 1 (1:1) sería la representación del objeto en su tamaño original, mientras que una escala 1 a 2 (1:2) indica que el objeto se redujo a la mitad de su tamaño. Esto puede ocurrir con objetos como lápices, calculadoras, zapatos o juguetes, que caben en una hoja o pliego de papel.

Para representar objetos o lugares más grandes, como un país, no podemos agrandar y agrandar los pliegos de papel, así que se reduce el tamaño de los objetos y los lugares en el dibujo. Esa reducción se representa en el número a la derecha de la escala; conforme ese número aumenta, el objeto o lugar dibujado en el mapa se reduce cada vez más en relación con su tamaño real.

Una mayor reducción permite representar más superficie, por lo tanto, entre más grande sea el número de la escala, el área representada es mayor, pero los objetos o lugares pequeños se representan cada vez con menos detalle e incluso pueden no aparecer, como ocurrió con Guaymas, la ciudad de Carolina, en el mapa de división política de México.

Se le llama escala chica a la que representa grandes superficies con poco detalle. La escala grande es aquella con números menores que representa con más detalle y menos reducción un objeto o lugar real.

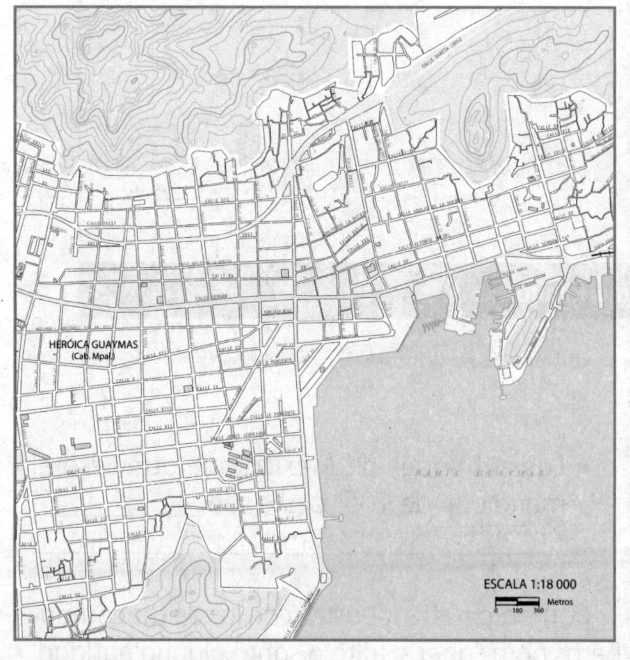

◈ Plano de Guaymas, Sonora.

◈ Fotografía aérea de Guaymas, Sonora.

Actividad

Observa el mapa de Guaymas que está en la página 23 de este libro. ¿A qué escala está elaborado? ¿Cuántas veces se redujo ese lugar? Compara tus resultados con el grupo.

Localicemos lugares

Para localizar cualquier lugar sobre la superficie terrestre, por ejemplo, tu municipio, una entidad, una carretera, un río, una isla o un volcán, en los mapas se trazan líneas imaginarias verticales y horizontales a las que llamamos coordenadas geográficas. Las líneas horizontales se llaman paralelos y las verticales, meridianos. Obsérvalos en el mapa.

Cuando queremos saber la posición de un lugar sobre un mapa, debemos identificar las líneas horizontal (paralelo) y vertical (meridiano) que lo cruzan.

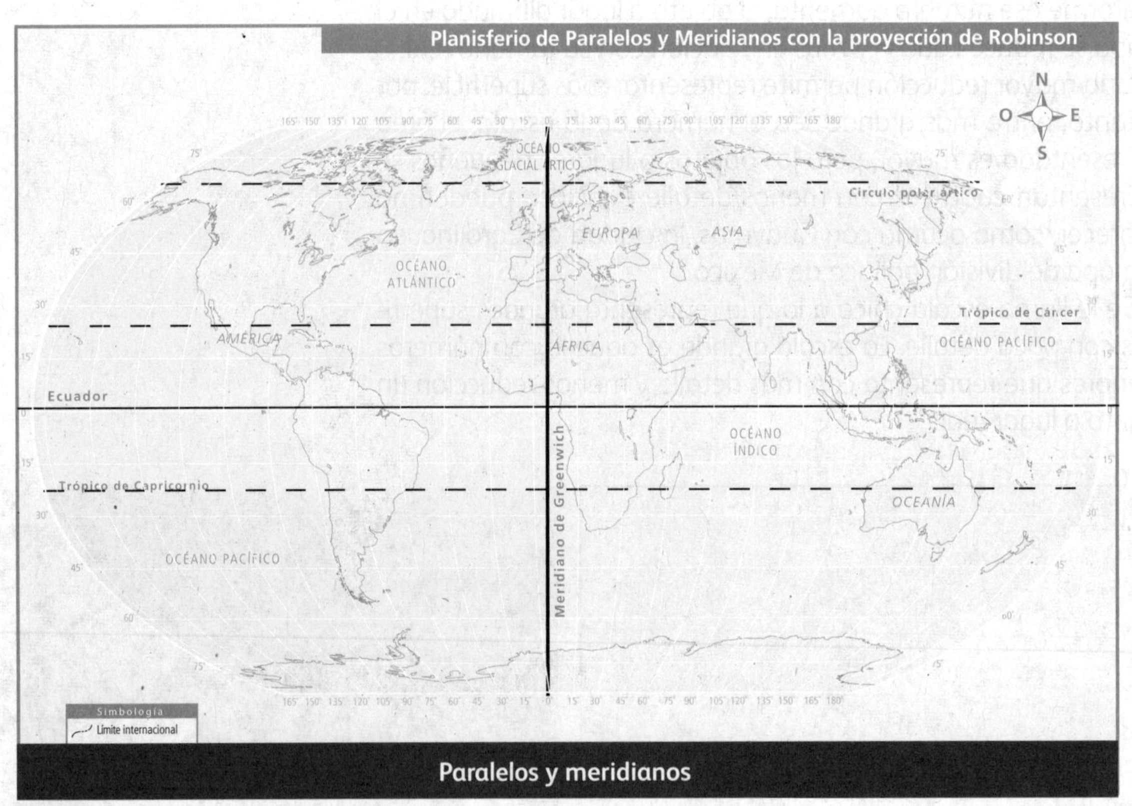

Paralelos y meridianos

Actividad

Observa el mapa de tu *Atlas de México*, página 20, y completa las siguientes oraciones.

- Las entidades de México que atraviesa el paralelo 20° norte son: ______________________________
- Las entidades de México que atraviesa el meridiano de 105° oeste son: ______________________________

Compara tus respuestas con las de tus compañeros para saber si faltó o sobró alguna entidad.

Apliquemos lo aprendido

Ahora que estudiaste los elementos de un mapa, puedes revisar uno e identificar si le falta algo o si hay un elemento incorrecto.

Corrige el mapa de México que está a continuación y complétalo con los elementos que se te piden.

- Revisa los puntos cardinales marcados en la rosa de los vientos, si encuentras alguno incorrecto, corrígelo.
- Observa bien el mapa. Luego dibuja dentro del recuadro de simbología aquellos símbolos que están representados en el mapa y no aparecen en este recuadro.
- La escala del mapa te permite representar y observar otros lugares u objetos que no están incluidos. Contesta en tu cuaderno cuáles consideras que se podrían ver bien a esta escala.
- Ponle un título a tu mapa, uno que exprese la información que está representada.
- En grupo, cada uno exponga su mapa y observen si hubo alguna diferencia en los símbolos dibujados dentro del recuadro de simbología; anoten cuáles y por qué.
- Comenten entre todos: ¿qué elemento de los mapas les ayudó a interpretar mejor la información que se representa? ¿Por qué?

Consulta en...

Si vives en el DF, o lo visitas, y quieres saber más sobre quién y cómo hace los mapas (cartografía), puedes ir al Museo Nacional de Cartografía, ubicado en avenida Observatorio 94, esquina con Periférico, delegación Miguel Hidalgo. También puedes acudir a los centros de información del INEGI, cuyas direcciones aparecen en la siguiente página: http://www.inegi.org.mx/lib/informacion.asp.

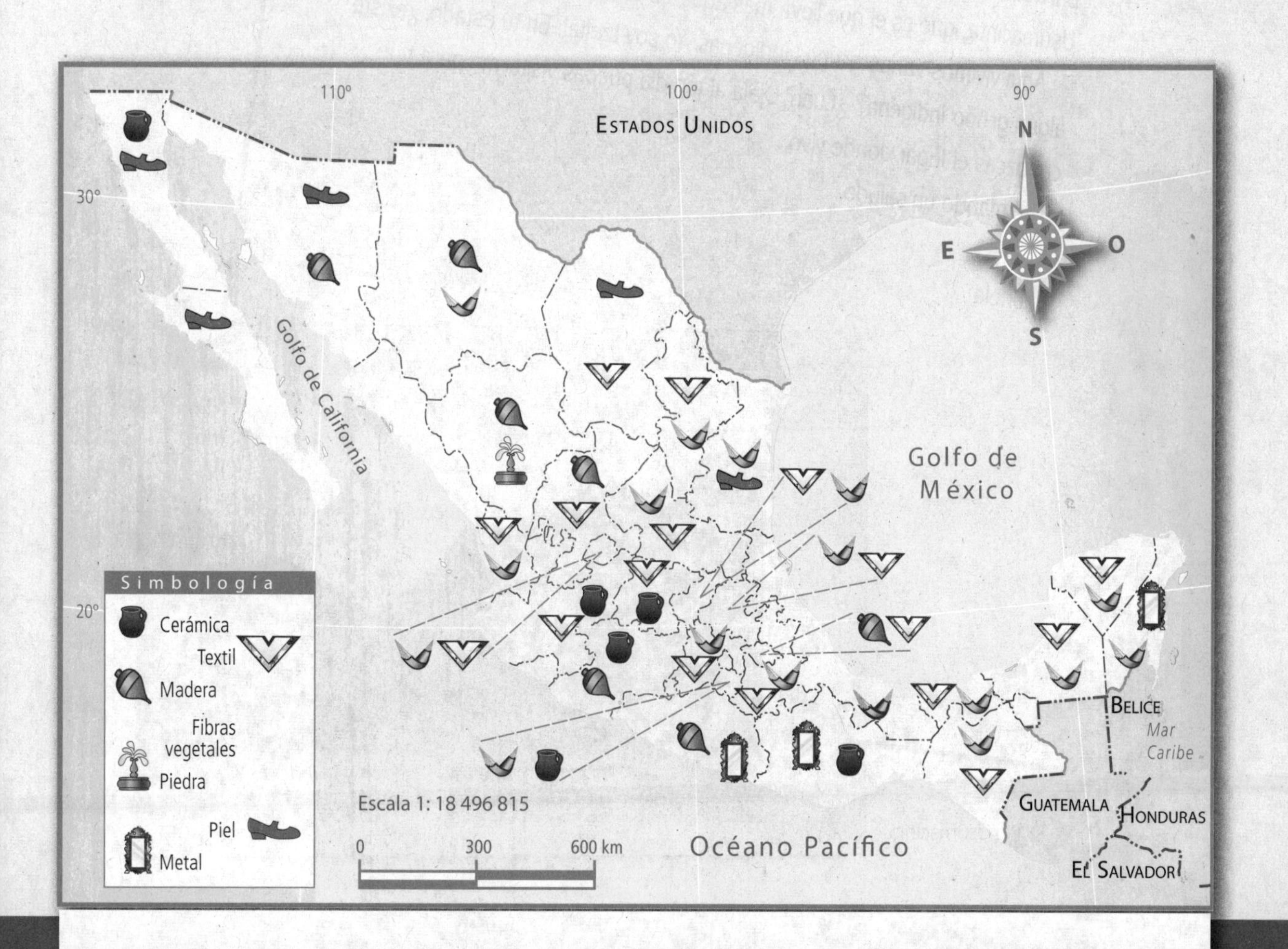

Ocosingo, Chiapas

Hola, Donají:

Me llamo Gabriela y soy del municipio de Ocosingo. Quiero hablarte del estado donde vivo: Chiapas. Pienso que es el estado más bonito porque tiene muchos animales, plantas, ríos, cascadas y montañas. En las tardes llueve tanto que, si volteas a ver los cerros, parece que las nubes envuelven a los árboles para lavarlos. Dice el maestro que por eso hay tantos lagos y ríos como el Usumacinta, que es el que lleva más agua en todo el país.

Aquí vivimos varios grupos indígenas. Yo soy tzeltal. En tu estado, ¿existe algún grupo indígena? ¿Cuál? Ojalá algún día puedas visitarme para que conozcas el lugar donde vivo.

Te mando un saludo.

Gabriela

◈ Río Usumacinta.

LAS REGIONES DE MÉXICO

❖ Con el estudio de esta lección identificarás diversas regiones de México.

Comencemos

Como ya sabes cuál es la división política de México, ayuda a Donají a identificar las regiones en las que también se divide nuestro país y las entidades que las conforman.

Actividad

Donají recibió fotos de varios lugares del país.

Formen equipos y comenten a qué región del país corresponden las imágenes de abajo. Identifiquen cuáles representan elementos naturales y cuáles culturales.

Unan con una línea cada una de las imágenes con la entidad correspondiente.

Cada equipo mostrará al grupo su mapa y explicará por qué colocaron la imagen en esa región. Mencionen qué elemento, natural o cultural, representa.

Regiones de México

Aprendamos más

Un dato interesante

Una región es un espacio del territorio del país que tiene características semejantes, ya sean naturales o sociales, por ejemplo, el clima, la vegetación, los grupos indígenas o las actividades económicas.

Regiones de climas y vegetación

México es un país con gran diversidad de vegetación y fauna, por eso podemos dividir su superficie en diferentes regiones de acuerdo con sus características naturales. Para ayudar a conservar estos recursos, se necesita saber dónde se localizan, y en qué lugares y climas se desarrollan mejor.

Observa con atención el mapa de la página siguiente, verás que los climas en México son diversos: muy secos en el norte, pues casi no llueve; cálidos y húmedos hacia el sur y sureste, porque llueve más, y templados en el centro del país y en las montañas.

Gracias a esta variedad de climas, tenemos la riqueza de vegetación y fauna que caracteriza al país.

Actividad

Con la orientación de tu maestro, completa el mapa de climas y vegetación de la página siguiente.

- Dibuja en el mapa, los símbolos de vegetación en las regiones correspondientes, de acuerdo con la tabla que está a continuación.

Puedes usar los símbolos tantas veces como lo requieras.

Clima	Vegetación	Símbolo
Cálido húmedo	Selva	
Cálido semihúmedo	Selva seca	
Templado húmedo	Bosque de montaña	
Templado subhúmedo	Bosque de coníferas	
Muy seco	Matorral	
Seco	Pastizal	

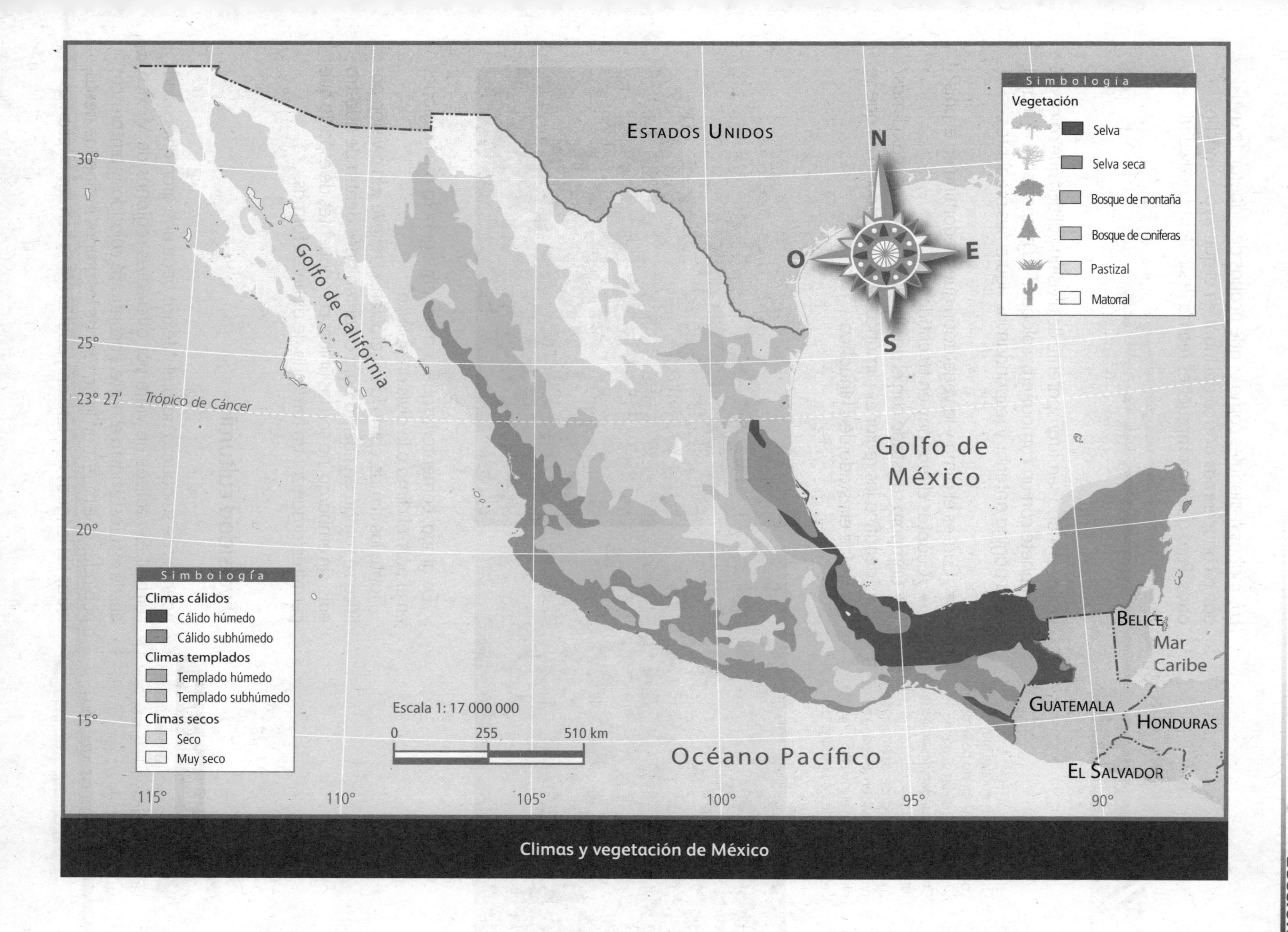

Climas y vegetación de México

Los mapas regionales como el que acabas de elaborar, te ayudan a conocer más acerca del lugar en el que vives y muchos otros. Para que lo compruebes realiza la siguiente actividad.

Actividad

Utiliza el mapa semitransparente de división política que calcaste.

Reúnete con un compañero, coloquen su mapa sobre el mapa de la página anterior y respondan las siguientes preguntas:

- ¿Cuál es el clima y la vegetación que predomina en el país?
- ¿Cuántos climas hay en tu entidad?
- Compara tu estado con el de Donají, ¿cuál tiene más climas?
- Identifica las regiones climáticas y de vegetación en que se divide el estado de Chihuahua.

◈ Dos regiones naturales muy diferentes, como el semidesierto de la meseta y los bosques de las sierras de Chihuahua, pueden desarrollarse una junto a la otra, gracias a que el relieve montañoso reduce la temperatura, provoca la lluvia en el verano o la nieve durante el invierno, y favorece el crecimiento de los bosques.

En grupo, comenten: ¿qué componente genera más regiones en el país, el clima o la división política?

Tanto los climas, como la vegetación, el relieve y la división política se toman en cuenta para crear regiones dentro de nuestro país, sin embargo, no son los únicos componentes de espacio que permiten organizar un territorio de distintas formas.

Diversidad cultural

Además de su riqueza natural, México tiene una gran diversidad cultural. Si realizas un viaje por diferentes regiones de México, desde el sureste hasta el norte, encontrarás coloridos y pintorescos poblados que muestran la riqueza de los grupos indígenas, descubrirás las lenguas que hablan y sabrás cómo son sus artesanías.

Un dato interesante

La flora mexicana es una de las más variadas del planeta. Por su diversidad de especies ocupa el cuarto lugar en el mundo.

◈ Los rarámuris viven en regiones montañosas.

◈ Los lacandones viven en la región de la selva.

◈ En los bosques templados y húmedos de las montañas viven los huastecos.

La forma de vestir, las artesanías y las actividades de cada grupo indígena están relacionadas con el lugar en el que viven, por eso, todos los grupos indígenas son diferentes entre sí, aunque tienen cualidades que los distinguen en conjunto, como el respeto por la naturaleza y el trabajo colectivo en beneficio de la comunidad.

◈ Los indígenas mayos habitan en regiones desérticas.

Exploremos

Realiza la siguiente actividad y escribe las respuestas en tu cuaderno. Identifica en tu *Atlas de México* el mapa de hablantes de lengua indígena, página 34.

- ¿En cuántas regiones está dividido el mapa de hablantes de lengua indígena?
- ¿Qué entidades pertenecen a la región con el mayor porcentaje de personas que hablan una lengua indígena?
- Anota los nombres de las entidades que corresponden a la región que tiene menos hablantes.
- Identifica en qué región se encuentra tu entidad.

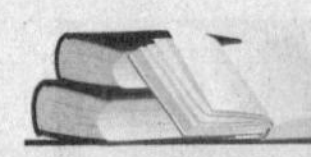

Apliquemos lo aprendido

Ayuda a Donají a identificar de dónde son las fotos que recibió. Anota en el mapa de la página 38 de este libro, el nombre de sus amigos en los espacios correspondientes.

Hola, me llamo Carmen. Soy tzotzil, vivo en la sierra Norte de Chiapas. En el lugar donde vivo se tejen textiles de lana.

Hola, me llamo Ana. Soy rarámuri y vivo en el estado de Chihuahua. En el lugar donde vivo hacemos trabajos de madera. El clima es templado subhúmedo.

Hola, soy María. Soy triqui. Vivo en Chicahuaxtla, Oaxaca. En el lugar donde vivo se elaboran huipiles y otros textiles. El clima es templado subhúmedo.

Hola, me llamo Joaquín. Soy maya. Vivo en Campeche. En el lugar donde vivo realizamos objetos con palma. El clima es cálido subhúmedo.

Hola, soy José. Soy huichol. Vivo en una población del norte de Jalisco. En el lugar donde vivo elaboramos diversos objetos con chaquira. El clima es templado subhúmedo.

Hola, me llamo Martha. Soy zapoteca y vivo en los valles de Oaxaca. En el lugar donde vivo se hacen bordados en telar y se elaboran objetos de barro negro.

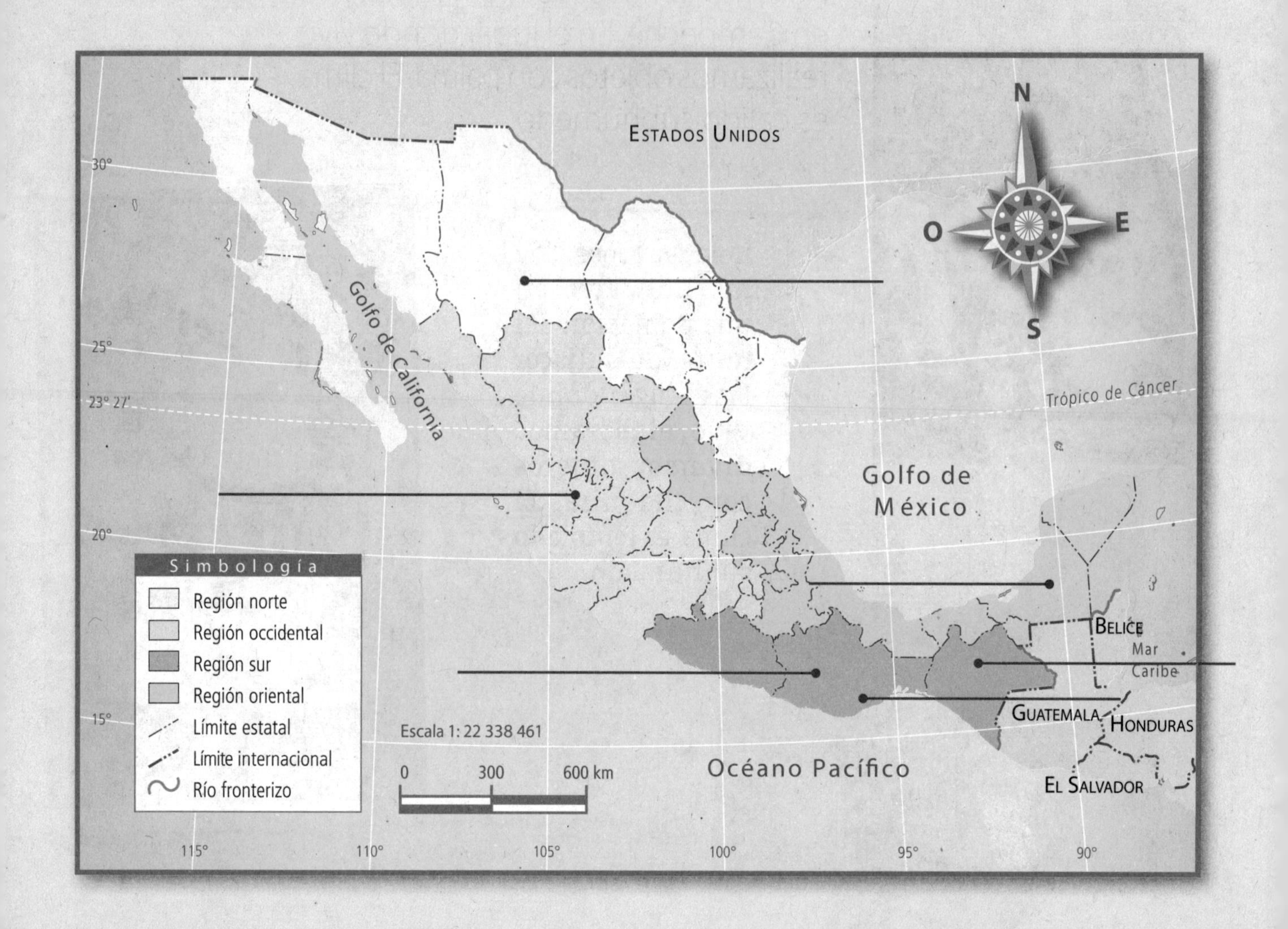

Comenta con tu grupo y con tu maestro: ¿de cuál de las cuatro regiones del mapa recibió Donají más fotografías de amigos y amigas indígenas?

De las cuatro regiones de tu mapa, ¿cuál te parece más interesante y por qué?

En los siguientes bloques aprenderás más acerca de los elementos naturales y sociales que identificaste en las diversas regiones representadas en los mapas.

Lo que aprendí

Lee la siguiente carta que se expuso en una escuela de niños migrantes y realiza las actividades que se solicitan.

Hola, me llamo Ramón Ruiz y nací en Tuxtla Gutiérrez. Actualmente vivo en San Diego, Estados Unidos, y llevo aquí dos años. He aprendido inglés, y he trabajado en la cosecha y en la separación de basura.

Conocí a un grupo de oaxaqueños y les describí así mi trayecto a Estados Unidos: salí en tren de la capital de Chiapas hacia Veracruz, para cruzar el río que sirve de frontera en Nuevo Laredo, donde un tío tenía conocidos.

Llegué hasta Veracruz, ahí conocí a una familia que me dio albergue y comida, no olvido el olor del café que ellos sembraban, ni los platanales que me recordaron la vegetación de mi estado. Seguí por carretera para llegar a la capital de Tamaulipas. Retomé mi camino rumbo a Monterrey, faltaban alrededor de 240 kilómetros para llegar a Nuevo Laredo, pero una patrulla nos obligó a desviarnos hacia Coahuila, donde conocí el paisaje desértico, lleno de cactus y biznagas, pues en Chiapas prácticamente no existen.

Llegué hasta la capital de Chihuahua, y allí tuve que dormir en el camión...

Localiza en el mapa de Carreteras y principales ciudades de México en el anexo, página 188, las ciudades y estados que menciona Ramón en su carta. Traza con un color la ruta que consideres, siguió para llegar a la frontera con Estados Unidos. Con otro color, traza las fronteras de México y subraya o anota las capitales de los estados al norte y sur de México que tienen frontera.

Localiza sobre el mapa los estados que tienen clima cálido húmedo, como en el que nació Ramón.

Localiza con un punto el lugar donde Ramón tuvo que desviar su camino hacia el oeste y señala con un símbolo la región seca que atravesó. Subraya en el relato los momentos que te sirvieron para interpretar la simbología de los mapas.

Responde en tu cuaderno: ¿qué elementos del mapa te permiten ubicar el punto de desviación en el camino de Ramón? ¿Qué río sirve de límite entre Tamaulipas y Estados Unidos?

Por último, termina el relato de Ramón en tu cuaderno, piensa en el punto de la frontera por donde pudo atravesar, así como en las regiones y personas que pudo haber conocido hasta llegar a San Diego, California.

Mis logros

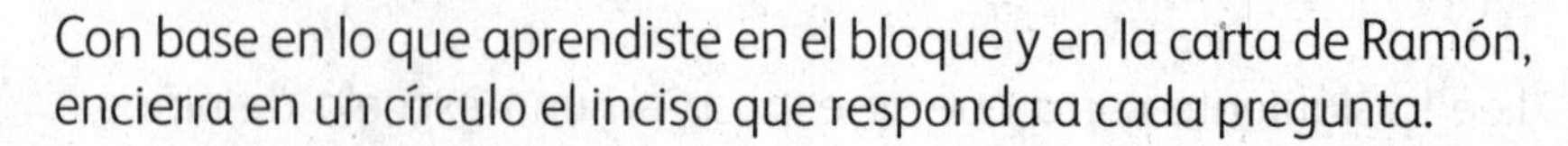

Con base en lo que aprendiste en el bloque y en la carta de Ramón, encierra en un círculo el inciso que responda a cada pregunta.

1. De noroeste a sureste, los estados que visitó Ramón fueron:
   a) Chihuahua, Nuevo León, Coahuila, Tamaulipas, Chiapas y Veracruz.
   b) Chihuahua, Coahuila, Nuevo León, Tamaulipas, Veracruz y Chiapas.
   c) Coahuila, Nuevo León, Tamaulipas, Veracruz y Tuxtla Gutiérrez.
   d) Chihuahua, Coahuila, Nuevo León, Tamaulipas, Veracruz y Puerto Barrios.

2. Los mapas que te permitirían localizar los lugares y regiones que menciona Ramón en su carta son:
   a) Hidrológico, de climas y de densidad de población.
   b) De climas, de carreteras y de relieve.
   c) De vías de comunicación, de grupos culturales y de relieve.
   d) De vías de comunicación, de división política y de regiones naturales.

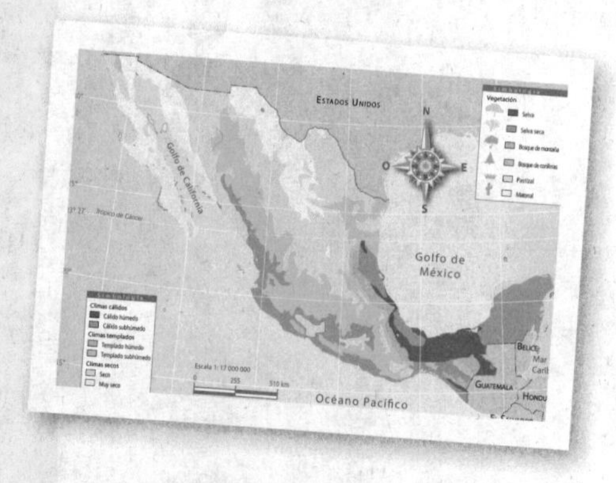

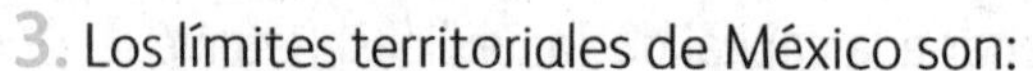

3. Los límites territoriales de México son:
   a) Fronteras con Estados Unidos, Guatemala y Belice; océano Pacífico y Golfo de México.
   b) Mar Caribe, fronteras con Guatemala, Estados Unidos y El Salvador.
   c) Isla Guadalupe, océano Pacífico y Atlántico, fronteras con Estados Unidos, Belice, El Salvador y Guatemala.
   d) Isla Cozumel, Isla Guadalupe, fronteras con Estados Unidos y Guatemala.

4. Los elementos indispensables de un mapa para medir distancias y trazar rutas son:
   a) Rosa de los vientos, escala numérica y título.
   b) Simbología, escala y coordenadas geográficas.
   c) Escala y rosa de los vientos.
   d) Escala gráfica y coordenadas geográficas.

5. Son componentes que permiten definir regiones de México:
   a) Vías de comunicación y fronteras estatales.
   b) Vegetación, clima, lengua y grupos étnicos.
   c) Litorales, ríos y lenguas.
   c) Relieve, división política, capitales y lenguas.

Autoevaluación

Es tiempo de que evalúes lo que has aprendido en este bloque. Lee cada enunciado y marca con una palomita (✓) el nivel que hayas alcanzado.

Aspectos a evaluar	Lo hago bien	Lo hago con dificultad	Necesito ayuda para hacerlo
Comprendo qué es límite territorial.			
Localizo los estados de México.			
Comprendo la organización política del territorio mexicano en municipios, estados y país.			
Distingo los elementos de un mapa.			
Utilizo los elementos de un mapa para obtener información.			
Reconozco en mapas la formación de regiones naturales y culturales de México.			

Escribe una situación en la que apliques lo que aprendiste, hiciste e investigaste en este bloque.

____

____

Aspectos a evaluar	Siempre	Lo hago a veces	Difícilmente lo hago
Identifico mi pertenencia a México a partir de la localización de mi localidad, municipio y estado.			
Reconozco la diversidad de regiones naturales y culturales de México.			
Valoro la utilidad de los mapas para comprender el país al que pertenezco.			

Me propongo mejorar en: ____

BLOQUE II

La diversidad natural de México

Yucatán, México.

San Juan Nuevo, Michoacán

Hola, Donají:

Me llamo Alejandro y vivo en San Juan Nuevo, Michoacán. Te quiero contar que cerca de mi pueblo hay un volcán llamado Paricutín. Cuentan que hace muchos años en el terreno del señor Dionisio Pulido comenzó a salir humo, por lo que el hombre puso su sombrero sobre ese lugar y se elevó. Tiempo después se abrió una enorme grieta y comenzó a formarse una elevación de tierra. De ahí, empezaron a salir rocas de fuego y más tarde lava, la cual cubrió el pueblo de San Juan Paricutín.

Todos los pobladores huyeron y en el Valle de Los Conejos formaron mi pueblo, San Juan Nuevo. Curiosamente, del pueblo viejo sólo se observa la torre de la iglesia. El volcán arrojó materiales durante nueve años. Dicen que parecían fuegos artificiales y que era un espectáculo sorprendente. En Michoacán hay muchos volcanes.

¿Cómo es el lugar donde vives? ¿Hay valles, sierras o llanuras?

Espero que puedas venir a mi casa para llevarte al Paricutín.

Hasta pronto.

Alejandro

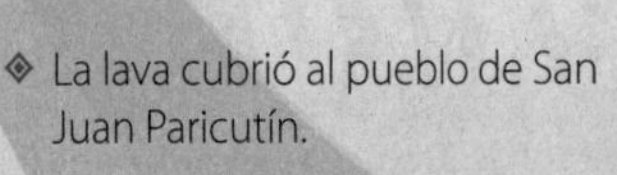

La lava cubrió al pueblo de San Juan Paricutín.

DESDE LAS MONTAÑAS HASTA EL MAR

❖ Con el estudio de esta lección describirás las características y distribución del relieve en México.

Comencemos

Así como Alejandro le contó a Donají que cerca del lugar donde vive hay un volcán, tú cuéntale a un compañero cómo es el relieve del lugar donde vives.

Actividad

En tu cuaderno, elabora un dibujo del paisaje natural que tiene el lugar donde vives y compáralo con el de tus compañeros.

Observa las siguientes imágenes de México y encierra con un color la que más se parece al lugar donde vives.

¿Cuál paisaje te gustaría conocer? ¿Por qué? Descríbelo en tu cuaderno.

Aprendamos más

Las formas y alturas que tiene la superficie de la Tierra reciben el nombre de relieve.

A las formas del relieve más o menos planas que se encuentran cerca del mar se les llama llanuras costeras; los relieves con escasa inclinación o pendiente, pero elevados, se conocen como mesetas o altiplanicies y se encuentran alejados de las costas, se hallan generalmente rodeadas de montañas y pueden tener ligeras pendientes; los valles también son regiones, generalmente formadas por un río; las depresiones son lugares con poca pendiente, hundidos y más bajos que el relieve que las rodea; las montañas son las mayores elevaciones. Un conjunto de montañas forma sierras.

La altura de la superficie del relieve se mide comparándola con el nivel del mar.

❖ Río El Naranjo, San Luis Potosí.

Actividad

Colorea la imagen y escribe dentro del círculo la letra del tipo de relieve que corresponde.

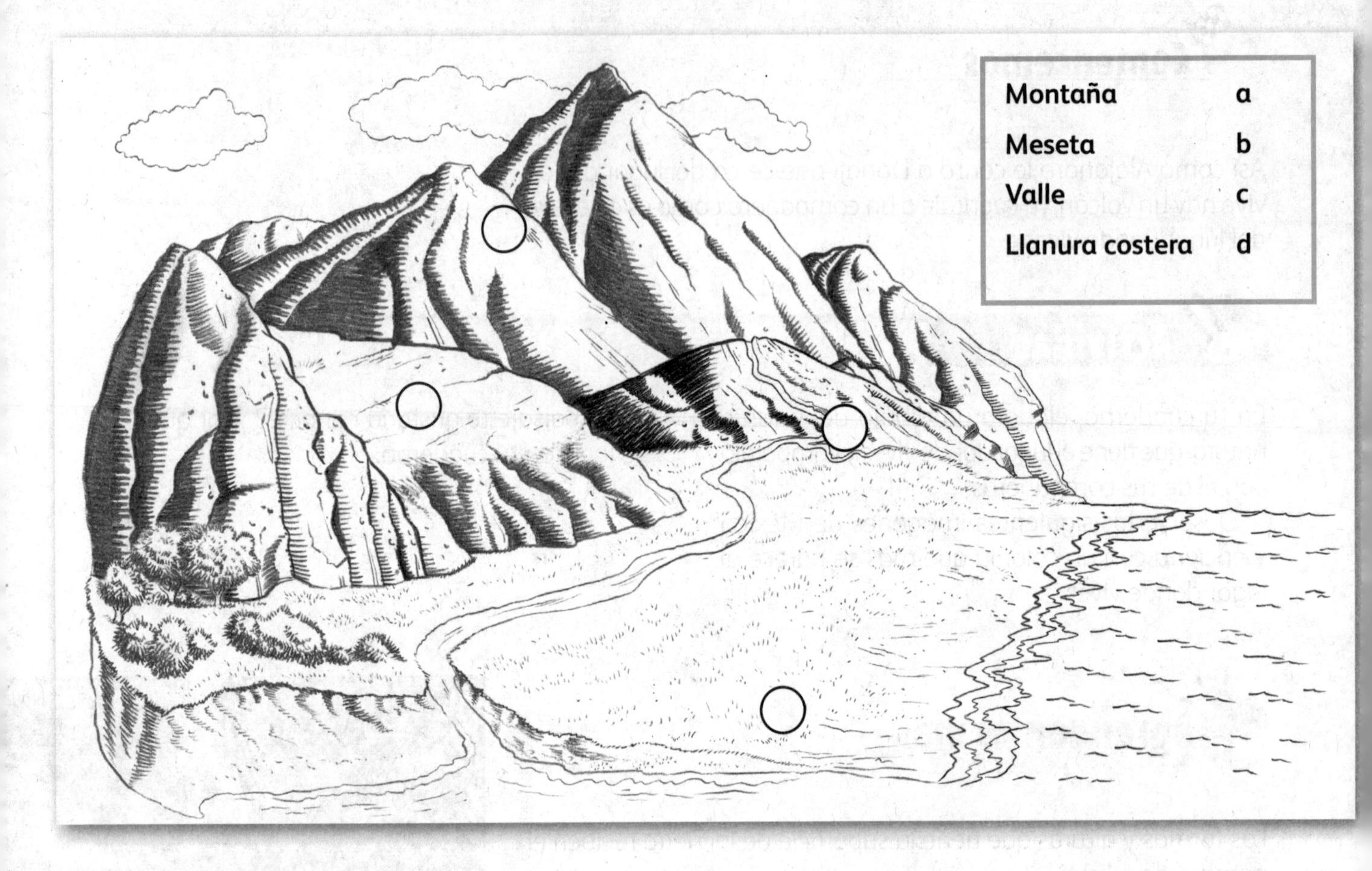

El relieve de nuestro país tiene formas diferentes. Existen lugares con escasa pendiente, como las llanuras costeras y las altiplanicies o mesetas, así como conjuntos de montañas alineadas, por ejemplo, las sierras madre Oriental y Occidental.

Exploremos

Ahora coloca el mapa transparente, que elaboraste en la lección 4 del bloque anterior, sobre el mapa de relieve de tu *Atlas de México*, en la página 12 y contesta en tu cuaderno lo siguiente:

- ¿Qué formas de relieve hay en nuestro país?
- ¿De qué sistema montañoso forma parte el volcán Paricutín?
- ¿Qué tipos de relieve tiene tu entidad?
- ¿Cuáles has visitado?

Comenta tus repuestas con tus compañeros.

En una revista apareció la siguiente información acerca del relieve de nuestro país.

25 >>> ESPECIAL

Formas de relieve en México

Las sierras de Chiapas son una continuación de la Sierra Madre del Sur, que está formada por vistosas mesetas, llanuras, valles y cañones, como el del Sumidero. Su montaña más alta es el volcán Tacaná (4 080 metros sobre el nivel del mar), que se localiza en el límite entre México y Guatemala.

La Altiplanicie Mexicana es una gran meseta que se extiende entre las sierras madre Oriental y Occidental. Es más alta al sur y va descendiendo hacia el norte. Presenta valles, planicies y algunos lagos que se han ido secando.

El Sistema Volcánico Transversal está formado por una serie de volcanes, valles y derrames de lava solidificada; algunos volcanes todavía están activos. Atraviesa el país de oeste a este, desde Jalisco hasta Veracruz. En él se encuentran los volcanes más altos del país.

26 ESPECIAL

La Península de Yucatán tiene poca pendiente y su altura es de los 0 a los 500 msnm; sus rocas son porosas, lo que permite que el agua se infiltre, provocando que se disuelvan las rocas y se formen cavernas.

En algunos lugares el techo se derrumba y se observa el río subterráneo, formando así los cenotes, importantes para proporcionar agua a la población.

La Llanura Costera del Pacífico es una franja angosta y alargada, la costa presenta numerosas bahías, en algunas se han desarrollado puertos importantes, por ejemplo, Guaymas y Mazatlán.

Desde Sonora hasta Nayarit, es decir, de la Sierra Madre Occidental hasta la costa del Océano Pacífico, se observan montañas muy altas con profundas barrancas, como las del Cobre, en Chihuahua, así como cañones, valles y caídas de agua.

27

En la Sierra Madre Oriental se han formado cavernas y grutas como las de García, en Nuevo León, y San Bartolo, en Hidalgo.

La Sierra Madre del Sur limita al norte con el Sistema Volcánico Transversal y la Depresión del Balsas, y al sur, con el océano Pacifico. Las aguas que bajan de sus montañas recorren la estrecha llanura costera y forman bahías como las de Manzanillo, Zihuatanejo, Acapulco y Huatulco.

La Sierra de Baja California se localiza a lo largo de la península del mismo nombre. Sus montañas tienen mayor pendiente hacia el Golfo de California y menor hacia el océano Pacífico.

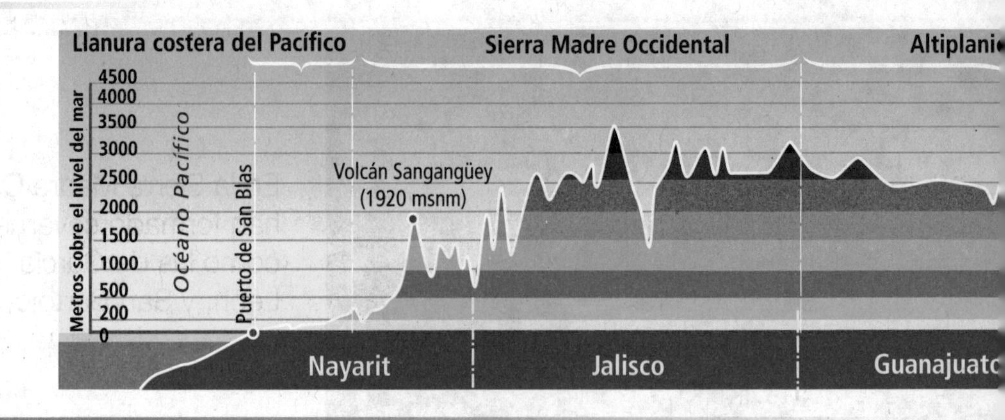

Actividad

En el mapa de la página 12 de tu *Atlas de México*, localiza las formas de relieve mencionadas y comenta con tus compañeros:

- ¿Cuáles son las sierras que hay en nuestro país?
- ¿Qué tipo de relieve tiene predomina en el país?

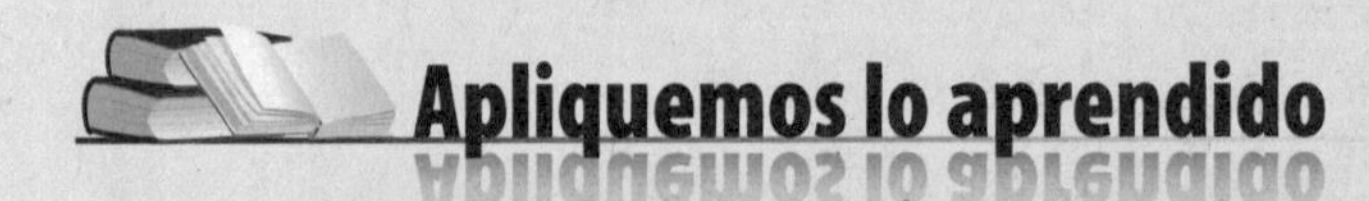

Apliquemos lo aprendido

En una hoja cuadriculada tracen una tabla de dos columnas con tres filas. Ésta será su tarjeta de lotería. Escriban en las columnas las palabras, como se indica en el ejemplo de la izquierda.

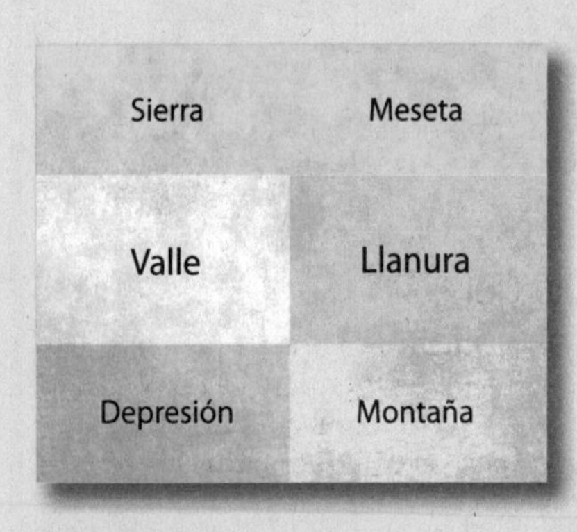

Sierra	Meseta
Valle	Llanura
Depresión	Montaña

Pídanle a su maestro o a uno de sus compañeros que les den pistas para acertar a las palabras que escribieron en el recuadro. Por ejemplo:

- Amplias extensiones de terreno a pocos metros del nivel del mar.
- Relieve de escasa pendiente, elevado y alejado de las costas.
- Lugares con poca pendiente que generalmente son atravesados por un río.
- Son regiones hundidas y más bajas que el terreno que las rodea.
- Son las mayores elevaciones.
- Un conjunto de montañas.

Tachen la palabra correcta de acuerdo con la pista que mencionó su maestro o compañero. Cuando hayan tachado todas, griten "¡Lotería!"

Observa el perfil de arriba. En él puedes ver las formas de relieve del país, desde Nayarit hasta Veracruz. ¿Qué tipos de relieve identificas? Escríbelo en tu cuaderno.

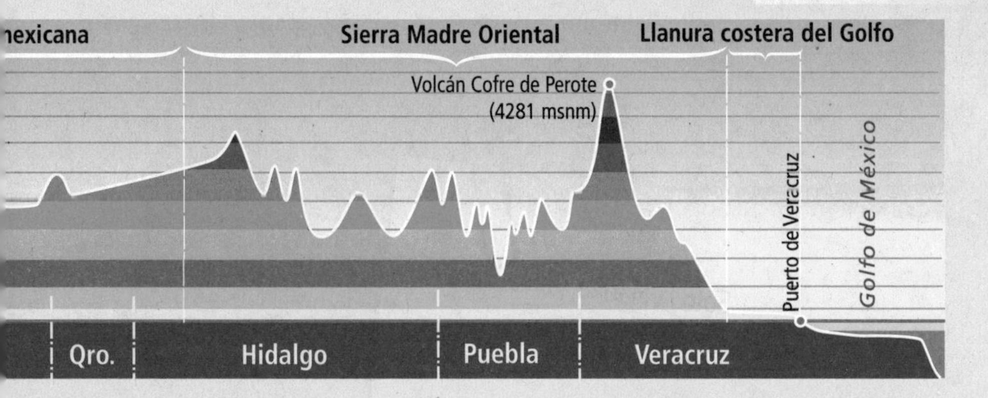

Despúes, escribe un pequeño texto a partir de las siguientes preguntas: ¿qué tipo de relieve es el más alto?, ¿cuál queda en medio?, ¿cuál relieve es más bajo?, ¿qué tipo de relieve hay en el lugar donde vives?, ¿en qué tipo de relieve te gustaría vivir?, ¿por qué?

Construye un modelo de todos los tipos de relieve que conoces.

Material

- Hojas de papel.
- Acuarelas.
- Pincel.
- Base de cartón.

Instrucciones

- Arruga las hojas de papel de tal manera que queden representadas todas las formas del relieve que hemos mencionado.
- Con las acuarelas, pinta de café la sierra, de rojo la meseta, de amarillo el valle y de verde la llanura.
- Muestra tu trabajo a tus compañeros y explica por qué representaste de esa manera cada forma del relieve.

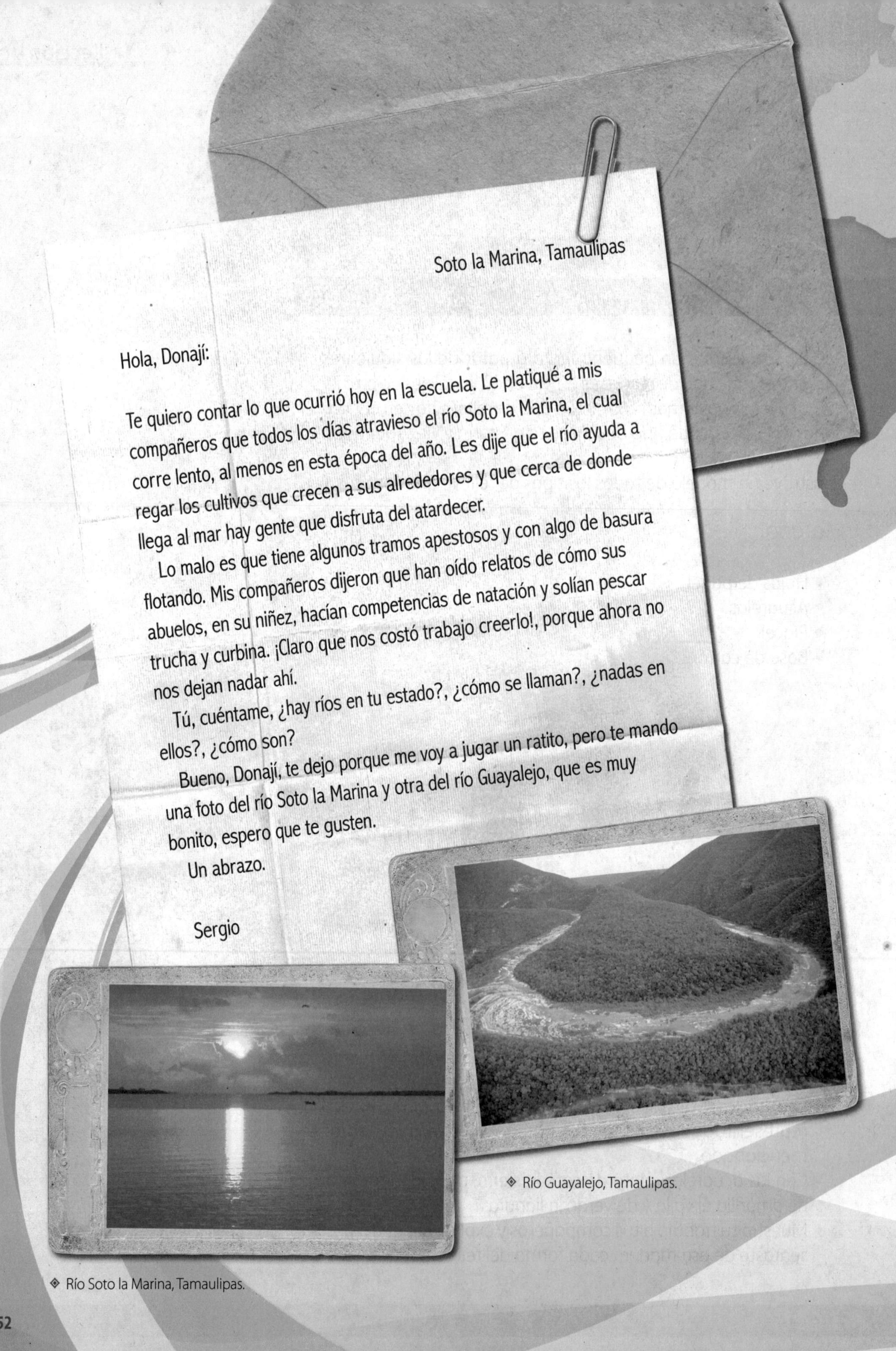

Soto la Marina, Tamaulipas

Hola, Donají:

Te quiero contar lo que ocurrió hoy en la escuela. Le platiqué a mis compañeros que todos los días atravieso el río Soto la Marina, el cual corre lento, al menos en esta época del año. Les dije que el río ayuda a regar los cultivos que crecen a sus alrededores y que cerca de donde llega al mar hay gente que disfruta del atardecer.

Lo malo es que tiene algunos tramos apestosos y con algo de basura flotando. Mis compañeros dijeron que han oído relatos de cómo sus abuelos, en su niñez, hacían competencias de natación y solían pescar trucha y curbina. ¡Claro que nos costó trabajo creerlo!, porque ahora no nos dejan nadar ahí.

Tú, cuéntame, ¿hay ríos en tu estado?, ¿cómo se llaman?, ¿nadas en ellos?, ¿cómo son?

Bueno, Donají, te dejo porque me voy a jugar un ratito, pero te mando una foto del río Soto la Marina y otra del río Guayalejo, que es muy bonito, espero que te gusten.

Un abrazo.

Sergio

◈ Río Guayalejo, Tamaulipas.

◈ Río Soto la Marina, Tamaulipas.

¿A DÓNDE VAN LOS RÍOS?

❖ Con el estudio de esta lección explicarás la importancia de las vertientes y principales cuencas hídricas de México.

Comencemos

Observa la imagen del río que acompaña la carta y recuerda los ríos que conoces. En la siguiente imagen, dibuja uno o varios ríos por donde consideres que pueden fluir.

Actividad

Reúnete con un compañero, observen los ríos que dibujaron y comenten lo siguiente:

- ¿Dibujaron los ríos en los mismos lugares? ¿Por qué?
- ¿Ambos dibujaron curvas dentro del camino que sigue el río?, ¿por qué?

Las curvas de los ríos se producen por la forma del relieve sobre el que pasa el agua y por la velocidad que lleva. Mientras menos pendiente o inclinación tiene el terreno, más curvas se producen en el curso de los ríos, porque el agua corre más lentamente.

En cambio, los ríos que corren sobre terrenos inclinados con fuertes pendientes tienen pocas curvas, y su velocidad y fuerza forman cañadas o barrancos.

Aprendamos más

✣ Tarea

Para la próxima sesión deberán traer, por equipos, un cartón grueso o un trozo de madera que sirva de base para una maqueta. Además, plastilina de distintos colores, migajón o masa, pegamento, palitos de madera, agua y pintura vegetal. Todo será para simular una cuenca hídrica. Puedes revisar la siguiente actividad para que sepas cómo se elabora la maqueta.

¿Cómo se forman los ríos?

La dirección y velocidad con la que se mueve un río depende del relieve. Cuando el agua de la lluvia cae sobre las montañas, la inclinación del terreno provoca que el agua corra rápidamente hacia el valle formando cauces. El agua de los ríos finalmente llega o desemboca en un lago, laguna o en el mar.

Cuando muchos ríos pequeños se juntan, forman un solo caudal o río principal en un lugar donde el relieve es más bajo. El río principal es el que recibe la mayor cantidad de agua y la lleva hasta la desembocadura.

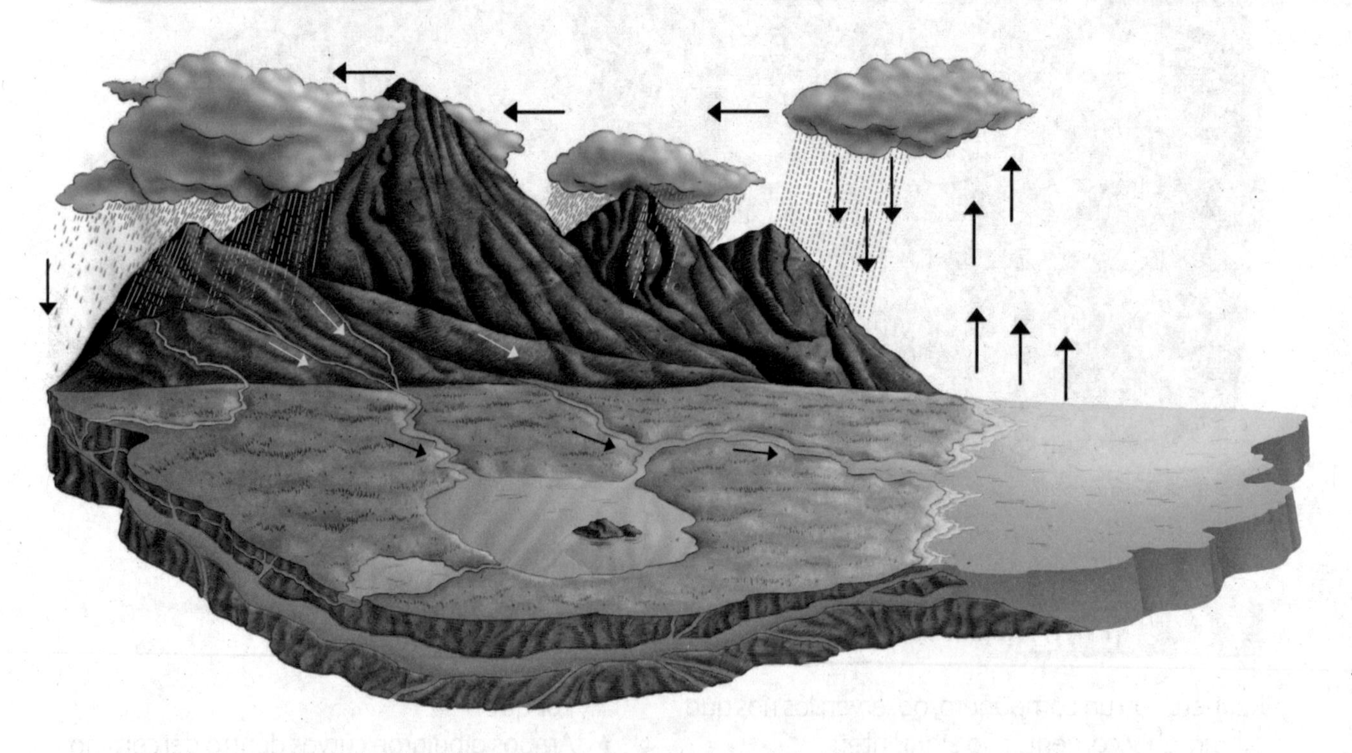

◈ Al escurrir y filtrarse, el agua de la lluvia alimenta los ríos que llegan al mar, de donde se evapora y forma nubes que generan la lluvia que nuevamente llena los ríos. Lo único que interfiere en este ciclo es el uso que las personas le damos al agua de lluvia, a los ríos, a los lagos y al mar.

Las regiones que captan el agua de lluvia, que luego escurre por el terreno para formar todos los ríos pequeños que se unen a uno principal, se llaman cuencas hídricas o hidrológicas.

Una cuenca está delimitada por montañas. Las montañas más altas que rodean la cuenca marcan su límite. A partir de éstas, y hacia abajo, escurren las aguas que se juntan en el río principal ubicado en la parte más baja de la cuenca.

Actividad

Para que comprendas cómo es una cuenca hidrológica, reúnete con tu equipo y elaboren una maqueta. Pueden basarse en la imagen de la página anterior.

- Con plastilina, papel con pegamento blanco, migajón o masa, elaboren las sierras, montañas, depresiones, valles, llanuras y planicies. Utilicen en toda su maqueta material resistente al agua y procuren no usar unicel.
- Recuerden que deben marcar muy claramente los cauces de los ríos pequeños que se unirán al río principal. Para trazarlos pueden usar hilo de color azul. También incluyan parcelas o casas donde lo consideren conveniente. No olviden formar el lago o el mar, que es el lugar hacia donde desemboca el río principal.
- Una vez que hayan construido su maqueta, viertan agua sobre las montañas con una regadera pequeña, como si lloviera ligeramente. Observen lo que ocurre. Si quieren, pinten el agua de azul o verde con pintura vegetal, para que puedan saber con exactitud por dónde corre. Individualmente, respondan en su cuaderno: ¿hacia dónde corrió el agua? ¿Qué hubiera pasado con el agua si la maqueta no tuviera montañas?

En grupo, comenten y describan en su cuaderno qué es una cuenca hidrológica.

◈ Las Nubes, Chiapas.

Consulta en...

Si pueden, accedan a Internet y entren a la página https://earth.google.es/. Busquen las cuencas del río Santiago, del Balsas, del Soto la Marina, en México, o la cuenca del río Amazonas, en Brasil.

¿Hacia dónde vierten el agua los ríos?

Existe gran cantidad de cuencas a lo largo y ancho del territorio mexicano. Estas cuencas se distribuyen dentro de tres grandes vertientes. La vertiente es una gran porción de terreno con una inclinación que sigue la misma dirección general, contiene varias cuencas que recogen las aguas que se depositan y vierten el agua de los ríos en el mar o en lagos al interior del territorio.

Actividad

Como puedes observar en el mapa de la página 189, existen tres vertientes, en dos de ellas los ríos desembocan en el océano, pero en la tercera sus ríos no llegan al mar, ¿cuál es ésta?

En parejas, consulten el mapa de relieve de su *Atlas de México*, página 12, y sobre el mapa de Vertientes de México marquen y anoten el nombre de las sierras de México que dividen las tres vertientes: la del océano Pacífico, la del Atlántico y la vertiente interna.

En grupo, comenten: ¿en cuál de las tres vertientes hay menos ríos? ¿Con qué tipo de relieve coincide? ¿Cómo influye el relieve sobre la distribución de los ríos en México?

Como observaste, en nuestro país, las vertientes parten principalmente de las sierras madre y terminan en las costas o en las depresiones internas.

Ver anexo

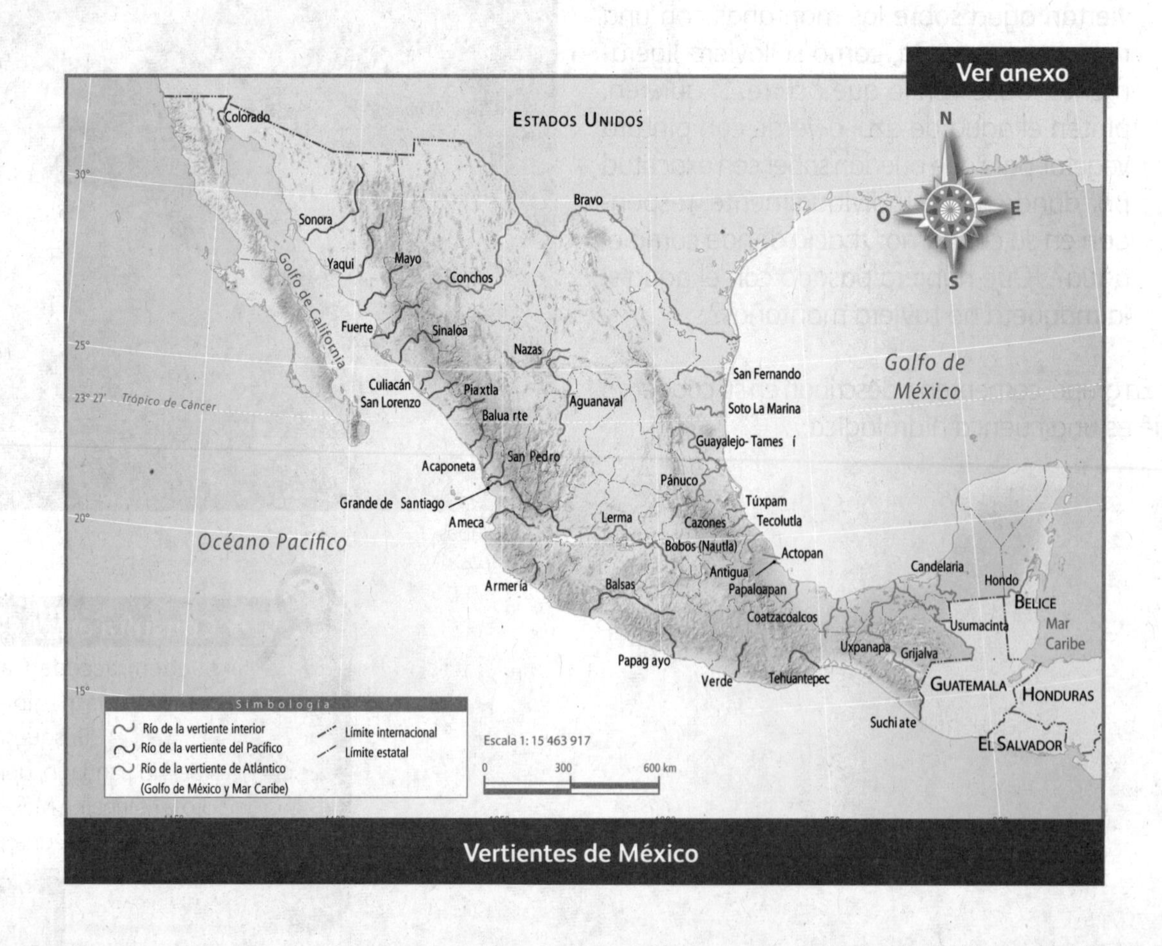

Vertientes de México

Apliquemos lo aprendido

Ahora que ya sabes lo que es una cuenca y las vertientes principales que agrupan a las cuencas, veremos la distribución de los ríos en el territorio nacional.

En nuestro país existen 50 ríos principales, los cuales recolectan casi la totalidad del agua de lluvia que corre por la superficie. Las cuencas de estos 50 ríos abarcan dos terceras partes de la superficie del territorio nacional.

Los ríos más caudalosos e importantes para la captación de agua son: Grijalva, Usumacinta, Papaloapan, Coatzacoalcos, Balsas, Pánuco, Santiago y Tonalá.

Consulta en...

Consulta información sobre la hidrografía (ríos, lagos y lagunas) de México, en la página de Internet http://iris.inegi.gob.mx/mapoteca o en el Atlas Digital de Conagua, en la página: http://siga.cna.gob.mx/Atlas/ENTRADA÷20BAJA.swf

Exploremos

En el mapa de Vertientes de México, anexo, página 189, localiza los ríos mencionados en el párrafo anterior y anótalos en tu cuaderno con el título "Ríos principales de México".

Con ayuda de su maestro, organícense en equipos, cada equipo escoja un río de los anteriores.

Sigan el curso del río en el mapa y escriban en su cuaderno los estados que cruza y que forman parte de su cuenca, comenzando por la entidad donde nace y terminando con aquella donde desemboca.

En grupo, sobre el pizarrón o en un pliego de papel, anoten el nombre del río que trabajaron y las entidades que cruza. Luego, señalen con un color diferente lo siguiente:

- Los ríos que son límite en la frontera norte del país.
- Los ríos que son límite en la frontera sur.
- Los estados con menor cantidad de ríos.
- Los estados con mayor cantidad de ríos.

La distribución de los ríos sobre nuestro territorio no es uniforme, es decir, no hay la misma cantidad de ríos para todas las regiones de nuestro país. Esta situación puede acarrear algunos problemas, como lo verás a continuación.

Un dato interesante

En México, como en muchas partes del mundo, existen problemas de disponibilidad de agua. Se ha calculado que del total de agua que cae cada año, más de dos terceras partes se evaporan; 27% escurre por los ríos y arroyos, y sólo 4% se filtra en el suelo de donde principalmente tomamos agua para el consumo humano.

Actividad

En equipos, lean las siguientes notas acerca de los problemas que enfrentan distintas regiones del país, elijan la que describe la situación más parecida a los problemas de acceso de agua en el lugar donde viven: escasez, inundaciones, sequias, entre otros.

página 1

EL PERIÓDICO

México, 2011

La distribución del agua

La distrubución de agua en el país tiene grandes diferencias. Por ejemplo, en Chiapas, Tabasco y el sur de Veracruz se concentra casi la mitad de los ríos; mientras que en la altiplanicie mexicana se localiza menos de la décima parte.

Regiones áridas

En la agricultura, los problemas se agravan en muchas áreas de riego. El riego mal planeado y la extracción excesiva de agua provocan que se salinicen superficies que abarcan cerca de 500 mil hectáreas (lo que equivaldría a perder el suelo de todo el estado de Aguascalientes), ubicadas principalmente en las regiones áridas y semiáridas.

página 2

México, 2011

REGIONES TEMPLADAS

La región templada del país ocupa la mitad de la extensión territorial de México y tiene casi la mitad de los escurrimientos de agua de lluvia en forma de ríos y arroyos. Aparentemente, la situación entre el tamaño del territorio y la cantidad de agua que hay, estaría equilibrada; sin embargo, en esta región se presenta la mayor cantidad de población y de ciudades. Esto ha hecho necesario traer agua de otras cuencas para satisfacer la demanda.

REGIONES TROPICALES HÚMEDAS

En algunos lugares ha sido necesario aplicar de manera urgente la tecnología, para almacenar y distribuir agua.

En las regiones áridas de Chihuahua se han construido presas para almacenar agua y utilizarla principalmente en el riego de cultivos, mientras que en las regiones tropicales húmedas, como Chiapas, se usan para producir energía eléctrica y evitar que se desborden los ríos cuando llueve mucho, pues provocan graves inundaciones, así como pérdidas humanas y económicas.

En grupo, hagan una cartulina con hojas blancas y divídanla en tres partes. En cada una de las partes escriban e ilustren los problemas que enfrenta cada región climática (árida y semiárida, templada y tropical húmeda), que se menciona en las notas anteriores.

Luego observen su cartulina y comenten:

- ¿Por qué unas regiones tienen mucha agua y otras presentan escasez?
- ¿Cómo afecta la distribución de los ríos, la vida social y económica de los mexicanos?
- ¿Qué solución darían a la distribución desigual del agua en nuestro territorio?

Con el apoyo de su maestro, expongan su cartulina a los demás grupos de su escuela y explíquenles la situación que representaron.

Mineral del Chico, Hidalgo

Para mi amiga Donají de Oaxaca.

Hola, soy Flor y vivo en un lugar muy bonito que se llama Mineral del Chico. Es un pueblito en las sierras del estado de Hidalgo. Está rodeado de pinos y se siente frío. Mi maestra dice que es el clima propio de las regiones montañosas del país. Ahora es un parque nacional donde se puede acampar y escalar.

En Hidalgo no sólo hay bosques de pinos. Si te fijas en las fotos, hay otros paisajes como la Huasteca, que tiene árboles diferentes, ahí vive mi primo Jacinto. Llueve mucho, hace calor y casi siempre hay niebla. Mi primo y yo jugamos a las escondidas donde están las plantas con hojas gigantes.

También hay un desierto en la Barranca de Metztitlán, con cactus, hay unos a los que les dicen viejitos porque parecen cabezas blancas.

Como ves en las fotografías que te envié, en mi estado hay lugares muy diferentes. Mi papá dice que aquí encuentras muchas de las regiones naturales que existen en México. Lo malo es que no tenemos el paisaje de la costa. ¿Sabías que en Hidalgo no tenemos mar?

Como tú vives cerca del mar, ojalá me puedas enviar una foto de la playa, para enseñársela a mis compañeros.

No dejes de escribirme.

Tu amiga, Flor

◈ Huasteca hidalguense.

◈ Mineral del chico, Hidalgo.

◈ Los "Viejitos", Barranca de Metztitlán, Hidalgo

LAS REGIONES NATURALES DE NUESTRO PAÍS

❖ Con el estudio de esta lección identificarás las características de las regiones naturales de México.

Comencemos

Al igual que Flor, la amiga de Donají, tú puedes conocer paisajes naturales. Si observaras desde lo alto un paisaje de tu estado, alcanzarías a ver diversos elementos que lo componen, como las montañas, la vegetación o los ríos. Si te acercaras más, escucharías a los animales y si fueras aún más cerca, podrías oler las flores.

Otra forma de conocer un paisaje natural es mirando una fotografía o una imagen de satélite. Al observarla distinguirás los elementos que hay en la región y sus características; mientras más cosas identifiques, lo conocerás mejor.

Actividad

Describe a tus compañeros algún paisaje natural de tu entidad, el que te parezca más interesante.

En tu cuaderno, dibuja y anota sus características, por ejemplo, el clima, la vegetación y el tipo de animales que hay. Identifica los elementos naturales del paisaje que describiste y compáralos con los de las fotografías de la Barranca de Metztitlán, fíjate en la forma del relieve, el tipo de vegetación (si hay pastos, pinos cactus, palmeras u otros) y el tipo de animales que consideras, habitan en cada uno de los paisajes.

¿Se parece la Barranca de Metztitlán al paisaje que describiste? ¿Qué diferencias encontraste?

En grupo comenten lo que saben acerca de las regiones naturales que hay en su estado.

◈ Biodiversidad de la Barranca de Meztitlán.

◈ Bosque de Mineral del Chico, Hidalgo.

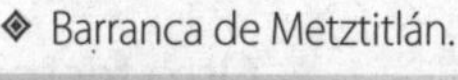

◈ Barranca de Metztitlán.

Aprendamos más

Las regiones naturales de México

Las regiones naturales se caracterizan por el tipo de vegetación que crece en ellas y la fauna que las habitan. Tanto la vegetación como la fauna son resultado, principalmente, del clima, pero también influyen el relieve, el suelo y la presencia de ríos, lagos o mares.

Ya has observado fotografías de algunas regiones naturales que muestran la riqueza de la vegetación y fauna que tiene nuestro país. La diversidad es tal, que existen plantas y animales que sólo se encuentran aquí y en ninguna otra parte del mundo.

Otro factor importante además del clima es el relieve. Observa lo que ocurre con el clima y la vegetación en las partes bajas y elevadas de una montaña.

Comenta en qué parte de la montaña el clima es cálido y en qué parte es más frío.

¿Qué vegetación se observa después de los 3 500 m de altitud? ¿Qué ocurre arriba de los 5 000 m de altitud?

Exploremos

Forma equipo con tus compañeros y consulten su *Atlas de México*, página 17.

Identifiquen las regiones naturales que hay en México y elaboren una lista en su cuaderno, para ello ordénenlas colocando primero las que se encuentran al norte del país y después las que están al sur.

Realicen la misma actividad, pero ahora con el esquema del Pico de Orizaba, empezando en la cima del volcán y terminando en la llanura costera.

Observen ambas listas y respondan: ¿dónde están las selvas?, ¿dónde se encuentran los bosques de coníferas? y ¿dónde están los desiertos?

Como observaron, las regiones naturales tienen diferente vegetación y clima según su localización (del norte hasta el sur) o su altitud (desde la cima de la montaña hasta la llanura costera).

Actividad

Después de conocer las diferentes regiones del país, participa en la elaboración de una revista.

Formen equipo con sus compañeros y cada uno dibuje el mapa de México en una hoja tamaño carta.

Cada equipo debe seleccionar una región natural, localizarla en el mapa e ilustrarla con lo siguiente: relieve, clima, vegetación, fauna y algún dato de la región que consideren interesante.

Utilicen los siguientes textos y libros de la Biblioteca Escolar: *La selva*, *El desierto* y otros similares, para ilustrar lo que se les pide.

Con la orientación del maestro, formen su revista. Para ello, unan los mapas, inventen un nombre para la revista y escriban una introducción.

Regiones naturales de bosques templados

De los bosques templados, los que predominan en nuestro país son los de coníferas y encinos. Estas regiones naturales abarcan cerca de una quinta parte de la superficie de México. Son bosques siempre verdes, resistentes a heladas y sequías. Se encuentran distribuidos principalmente en las zonas montañosas.

Un dato interesante

México es el país más rico en especies de pino y de encino en el mundo. Se calcula que existen alrededor de 50 especies diferentes de pinos y cerca de 150 especies de encinos.

◈ Bosque húmedo de montaña o de niebla. El porvenir, Chiapas.

◈ Bosque templado de pino-encino.

◈ En el bosque húmedo de montaña, en Chiapas, viven los quetzales; sólo los machos poseen una larguísima y bella cola.

Otro tipo de bosque templado es el húmedo de montaña, con árboles que, en general, no pierden sus hojas. Casi siempre está cubierto de niebla y el clima es menos frío en invierno. Además de los árboles, hay muchas plantas de menor tamaño como arbustos, hierbas y hongos.

Los bosques ayudan a mejorar la calidad del aire y retienen la humedad que viene del mar, debido a que el agua de la lluvia que cae en las zonas montañosas penetra al suelo entre las raíces de los arboles.

Gran parte de los animales que viven en los bosques templados son especies endémicas, lo que significa que México es el único lugar donde se encuentran. Algunos están en peligro de extinción, como el lobo mexicano, el teporingo o zacatuche y el quetzal. También lo habitan ardillas, tlacuaches, víboras de cascabel, la cotorra serrana, lechuzas, gorriones y colibríes, entre otros.

Las regiones secas y muy secas de pastizales y matorrales

Alrededor de 50% del territorio mexicano, principalmente en las planicies del norte con clima seco, se encuentra cubierto de pastizales que son aprovechados por la fauna silvestre, como liebres y roedores, que a su vez son alimento de zorros y coyotes. Sólo en los arroyos y depósitos de agua se observan grupos de árboles.

En las regiones muy secas de matorrales se localizan los desiertos, que son lugares en los que predominan las temperaturas extremas, es decir, hace mucho calor en el día y frío intenso en la noche.

La mayor parte de la lluvia que cae se evapora, aunque una pequeña parte puede filtrarse. Con esta agua se forman pozos que aprovechan los animales y las personas.

La vegetación característica de las regiones muy secas del país son los matorrales.

Dentro de nuestro país hay diferentes tipos de regiones desérticas, como puedes observar en las imágenes.

Tucán de la selva húmeda de Chiapas.

Selva húmeda y selva seca

A la selva húmeda algunos la llaman "bosque tropical". Se caracteriza por su clima cálido con lluvias todo el año o muy abundantes en verano. En la selva húmeda, las plantas siempre están verdes, si unas hojas se caen, otras crecen.

La vegetación es muy abundante y variada, con grandes árboles y plantas que crecen en suelos siempre húmedos. Se forman arroyos y hay ríos muy caudalosos, como el Grijalva y el Usumacinta en el sur del país.

En la selva habitan muchas especies de plantas y animales. Hay mamíferos, como el jaguar y el mono araña; aves, como la guacamaya roja y el tucán, además de muchos reptiles, anfibios e insectos.

La selva seca se llama así porque, a diferencia de la selva húmeda, presenta un periodo de cinco a ocho meses en los que no llueve. Durante esta época, los árboles pierden sus hojas porque no hay humedad suficiente, pero en el periodo de lluvias (de marzo a septiembre, aproximadamente) se llenan nuevamente de hojas.

De cada 10 metros cuadrados que había de selva a la llegada de los españoles, ahora sólo queda uno debido a la colonización, la ganadería y la tala de árboles.

◈ Durante los meses de octubre a marzo que casi no llueve, la selva seca se caracteriza por sus tonos cafés y grises. A veces, el único verde que se ve es el de los tallos de cactáceas columnares, el del follaje de las "pata de elefante", de las "caderonas" o de algunas yucas.

Un dato interesante

Gracias a las selvas y bosques, tenemos agua de arroyos y ríos que se forman de las lluvias y que son captadas por la vegetación. Asimismo, los árboles captan el dióxido de carbono y permiten, a través de la fotosíntesis, la reproducción del oxígeno, indispensable para la vida.

◈ Durante la época de lluvias, las selvas secas se cubren de verde.

Zacatuche

El zacatuche o teporingo, conocido también como conejo de los volcanes, vive en las regiones centrales del sistema volcánico. Se alimenta de los pastizales que crecen en lo alto de los volcanes.

Tecolotito

Viven en los cactus saguaros, en el clima seco de Sonora.

Quetzal

Ave de brillante y larga cola. Habita en las regiones bajas y húmedas de la sierra de Chiapas. Su población ha disminuido por la pérdida del bosque y por su captura excesiva.

Cotorra de frente amarilla

Ave de talla grande que alcanza los 38 cm. Vive en las costas, desde Colima hasta Oaxaca y de Nuevo León a Tabasco. Lamentablemente en muchas de estas regiones su población ha disminuido o desaparecido.

Berrendo

Similar al venado, habita en regiones semisecas de pastizales que están disminuyendo al transformarlas en regiones agrícolas.

Perrito de las praderas

Roedor de los estados de Coahuila y Zacatecas. En esta región seca del país, los perritos viven en colonias, y excavan túneles y madrigueras.

Lobo gris

Exterminado por los cazadores. Preferían los bosques templados del norte. Se reportan 48 en cautiverio para su recuperación.

Jilguero

Ave que sorprende por su trino, habita en las montañas del país, en regiones secas o en los bosques de pinos.

Jaguar

Habita en las regiones bajas de las sierras con clima cálido húmedo y subhúmedo, así como en la Península de Yucatán. Existen áreas naturales que se han convertido en reservas para su protección.

Apliquemos lo aprendido

Las imágenes de la página anterior corresponden a animales de diferentes especies, que habitan distintas regiones naturales y tienen algo en común: se encuentran en peligro de extinción.

Formen equipos y, de acuerdo con las características de cada animal, enciérrenlos con un círculo de color, según la región natural a la que pertenecen. Utilicen la tabla que aparece a continuación.

Recuerden lo que aprendieron en esta lección y utilicen como apoyo el mapa de clima y vegetación de su libro, página 33.

Después de ubicar las diferentes especies en su región natural, investiguen las causas que las tienen en peligro de extinción.

Comenten en grupo qué acciones deben tomarse para su protección y conservación.

Posteriormente, en equipo elaboren un modelo tridimensional de la región que más les haya llamado la atención; para ello:

- Dibujen y coloreen en una hoja de papel blanco, el suelo y las plantas grandes, será el "escenario" del modelo tridimensional.
- En otra hoja dibujen las plantas pequeñas y los animales en peligro de extinción de esa región. Dejen en la base de cada dibujo, un pequeño rectángulo en blanco.
- Recorten las figuras, doblen hacia atrás el rectángulo y aplíquenle pegamento.
- Peguen las figuras (sólo por la parte del rectángulo para que queden paradas) en su dibujo "escenario", donde crean que deben ir.
- Coloreen el pedazo de rectángulo en blanco del color que le corresponda, según el lugar donde colocaron cada figura.
- Preparen una exposición de su trabajo frente al grupo, describan las características de la vegetación, de la fauna y de cada especie en peligro de extinción e incluyan, además, las posibles causas que llevan a su extinción, así como las propuestas para su conservación.

Color	Región
	Selva húmeda
	Selva seca
	Bosque de coníferas y encinos
	Bosque húmedo de montaña
	Pastizal
	Matorral

Un dato interesante

Se considera que una planta o un animal está en peligro de extinción al disminuir las probabilidades de que todos los miembros de la especie sigan viviendo, ya sea por la destrucción directa o por la desaparición de sus recursos alimenticios.

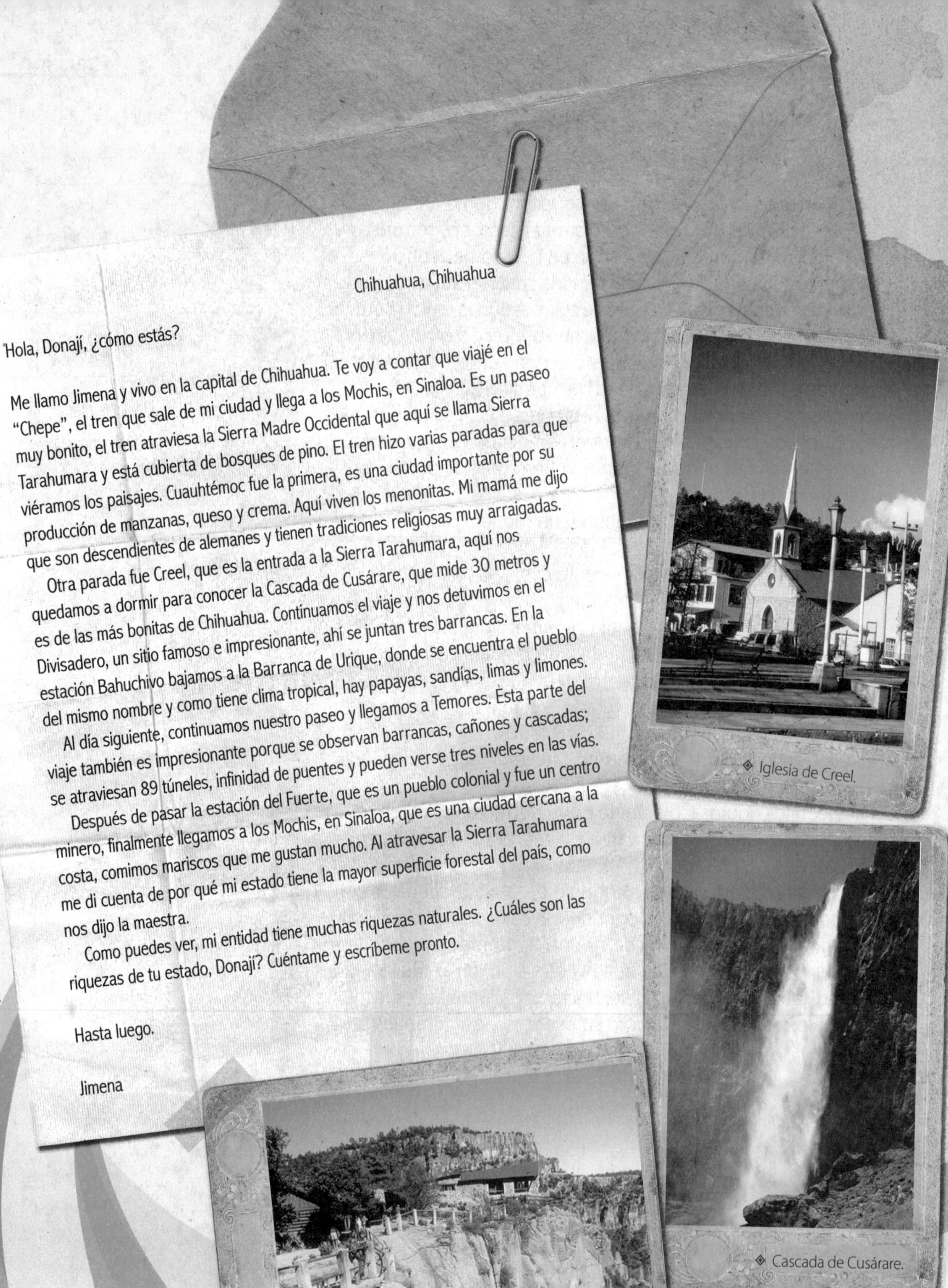

Chihuahua, Chihuahua

Hola, Donají, ¿cómo estás?

Me llamo Jimena y vivo en la capital de Chihuahua. Te voy a contar que viajé en el "Chepe", el tren que sale de mi ciudad y llega a los Mochis, en Sinaloa. Es un paseo muy bonito, el tren atraviesa la Sierra Madre Occidental que aquí se llama Sierra Tarahumara y está cubierta de bosques de pino. El tren hizo varias paradas para que viéramos los paisajes. Cuauhtémoc fue la primera, es una ciudad importante por su producción de manzanas, queso y crema. Aquí viven los menonitas. Mi mamá me dijo que son descendientes de alemanes y tienen tradiciones religiosas muy arraigadas.

Otra parada fue Creel, que es la entrada a la Sierra Tarahumara, aquí nos quedamos a dormir para conocer la Cascada de Cusárare, que mide 30 metros y es de las más bonitas de Chihuahua. Continuamos el viaje y nos detuvimos en el Divisadero, un sitio famoso e impresionante, ahí se juntan tres barrancas. En la estación Bahuchivo bajamos a la Barranca de Urique, donde se encuentra el pueblo del mismo nombre y como tiene clima tropical, hay papayas, sandías, limas y limones.

Al día siguiente, continuamos nuestro paseo y llegamos a Temores. Ésta parte del viaje también es impresionante porque se observan barrancas, cañones y cascadas; se atraviesan 89 túneles, infinidad de puentes y pueden verse tres niveles en las vías.

Después de pasar la estación del Fuerte, que es un pueblo colonial y fue un centro minero, finalmente llegamos a los Mochis, en Sinaloa, que es una ciudad cercana a la costa, comimos mariscos que me gustan mucho. Al atravesar la Sierra Tarahumara me di cuenta de por qué mi estado tiene la mayor superficie forestal del país, como nos dijo la maestra.

Como puedes ver, mi entidad tiene muchas riquezas naturales. ¿Cuáles son las riquezas de tu estado, Donají? Cuéntame y escríbeme pronto.

Hasta luego.

Jimena

Iglesia de Creel.

Cascada de Cusárare.

El Divisadero.

LAS RIQUEZAS DE NUESTRO PAÍS

❖ Con el estudio de esta lección explicarás la importancia de los recursos naturales de México.

Comencemos

Tú, como Jimena, ¿conoces las riquezas naturales de tu entidad? Elabora en tu cuaderno una lista de éstas y compárala con las de tus compañeros.

Actividad

Las siguientes imágenes ilustran el proceso que se sigue para elaborar las vasijas de barro en Oaxaca. Descríbelo en tu cuaderno y contesta las preguntas.

- ¿Con qué material elaboraron la vasija?, ¿de dónde lo obtuvieron?
- ¿Qué región o regiones naturales hay en Oaxaca?

Aprendamos más

En lecciones anteriores estudiaste el relieve, los climas y las características de las regiones naturales de nuestro país, en las que existen recursos naturales que los seres humanos utilizamos para satisfacer nuestras necesidades.

La población aprovecha los recursos naturales de manera productiva a través de las actividades económicas. Los extrae, los transforma, los distribuye y los aprovecha de acuerdo con su disponibilidad. Por ejemplo, en los aserraderos se corta madera para fabricar muebles.

Actividad

¿Para qué utilizas el agua?, ¿qué tan importante es para tu vida? Imagina un día sin agua, ¿qué problemas tendrías?

Escribe las respuestas en tu cuaderno y compártelas con tus compañeros.

El agua es el recurso más importante para la vida en el planeta, ya que los seres vivos dependemos de ella y no puede sustituirse por otro recurso. Observa el uso que se le da en las siguientes imágenes.

◈ Uso agrícola.

◈ Uso doméstico.

◈ Para el uso de transporte.

◈ Uso industrial.

El agua es un recurso que no se encuentra distribuido de manera regular en el país. Algunos estados del centro y norte son secos o muy secos y reciben poca lluvia. En cambio, las entidades del sureste reciben casi la mitad del total de agua de lluvia.

El agua dulce de los lagos, los ríos y las aguas subterráneas, es un recurso que aprovechan los seres vivos.

En México, los ríos se utilizan como fuente de agua potable y para el riego en la agricultura. El agua de los ríos se almacena en presas y la fuerza del agua se utiliza para generar energía eléctrica, como en la Angostura y Chicoasén, en el estado de Chiapas, e Infiernillo, entre los estados de Michoacán y Guerrero. Las plantas hidroeléctricas generan una tercera parte de la energía eléctrica del país. Localízalas en el mapa de la página 43 de tu *Atlas de México*.

◈ Central hidroeléctrica El cajón, Santa María del Oro, Nayarit.

◈ En Chiapas, la presa Belisario Domínguez más conocida como presa La Angostura es la más grande de México por la cantidad de agua que puede almacenar.

◈ Manantiales formados del agua subterranea de la cuenca de México. Cuatro quintas partes del agua que requiere la ciudad de México, proviene del subsuelo.

El agua subterránea es la principal fuente abastecedora para la población que habita en regiones secas o muy secas. Se extrae mediante pozos de bombeo y descarga de manantiales.

Observa las siguientes imágenes sobre la utilización del agua subterránea y escribe en tu cuaderno por qué es importante cuidar el agua.

Actividad

◈ Península de Yucatán.

Observa en tu *Atlas de México* las páginas 14, 15 y 42, y contesta en tu cuaderno:

- ¿Qué ríos se localizan en tu entidad?
- ¿Qué ríos conoces?
- ¿Cuáles lagos, lagunas o presas se localizan en tu entidad?, ¿conoces alguno?

Organizados por equipos, investiguen de dónde viene el agua que consumen. Presenten su trabajo en un periódico mural.

Exploremos

◈ Valle de Mexicali.

Utiliza papel semitransparente (papel cebolla) para dibujar el mapa de la página 43 de tu *Atlas de México* y representa sólo las plantas hidroeléctricas. Anota su nombre.

Coloca el mapa que elaboraste sobre el mapa de la página 14 del *Atlas de México*.

Elabora en tu cuaderno una lista donde anotes los ríos y presas que generan energía eléctrica y contesta:

- ¿En qué región de México se localizan las principales presas hidroeléctricas?
- ¿Qué entidades tienen mayor cantidad de presas hidroeléctricas?
- ¿En qué regiones del país son escasas?

A continuación, lee algunos ejemplos de cómo cuidar el agua de manera fácil y sencilla.

Recomendaciones para cuidar el agua*

1. Dile a tus papás que reparen las fugas, goteras y problemas de funcionamiento en el inodoro, para evitar un gasto innecesario de agua.
2. No dejes abierta la llave del agua mientras te cepillas los dientes, lavas los platos o te enjabonas el cuerpo en la regadera.
3. Utiliza la lavadora en su carga máxima de ropa y en ciclos cortos de lavado, usa los programas de lavado de bajo consumo de agua.
4. Cuando esperes a que salga el agua caliente de una llave o de la regadera, puedes llenar recipientes con el agua fría y utilizarla para otros fines.
5. Riega el jardín por la tarde para evitar la rápida evaporación que ocurre durante el día. Al adquirir plantas para el jardín, prefiere aquéllas adaptadas al clima del lugar donde vives, en lugar de plantas con mayores requerimientos de agua.
6. Lava el coche en casa con cubetas de agua en lugar de usar la manguera.

Comenten con su grupo y con su familia sobre cómo cuidar el agua en la escuela, en su casa y en el lugar donde viven.

* Semarnat, *¿Y el medio ambiente? Problemas en México y el mundo*, México, Semarnat, 2007.

El suelo que piso me da de comer

El suelo es un recurso compuesto de varias capas que contienen minerales (nitrógeno, fósforo, potasio, entre otros) y materia orgánica en descomposición, que les sirve a las plantas para nutrirse y crecer.

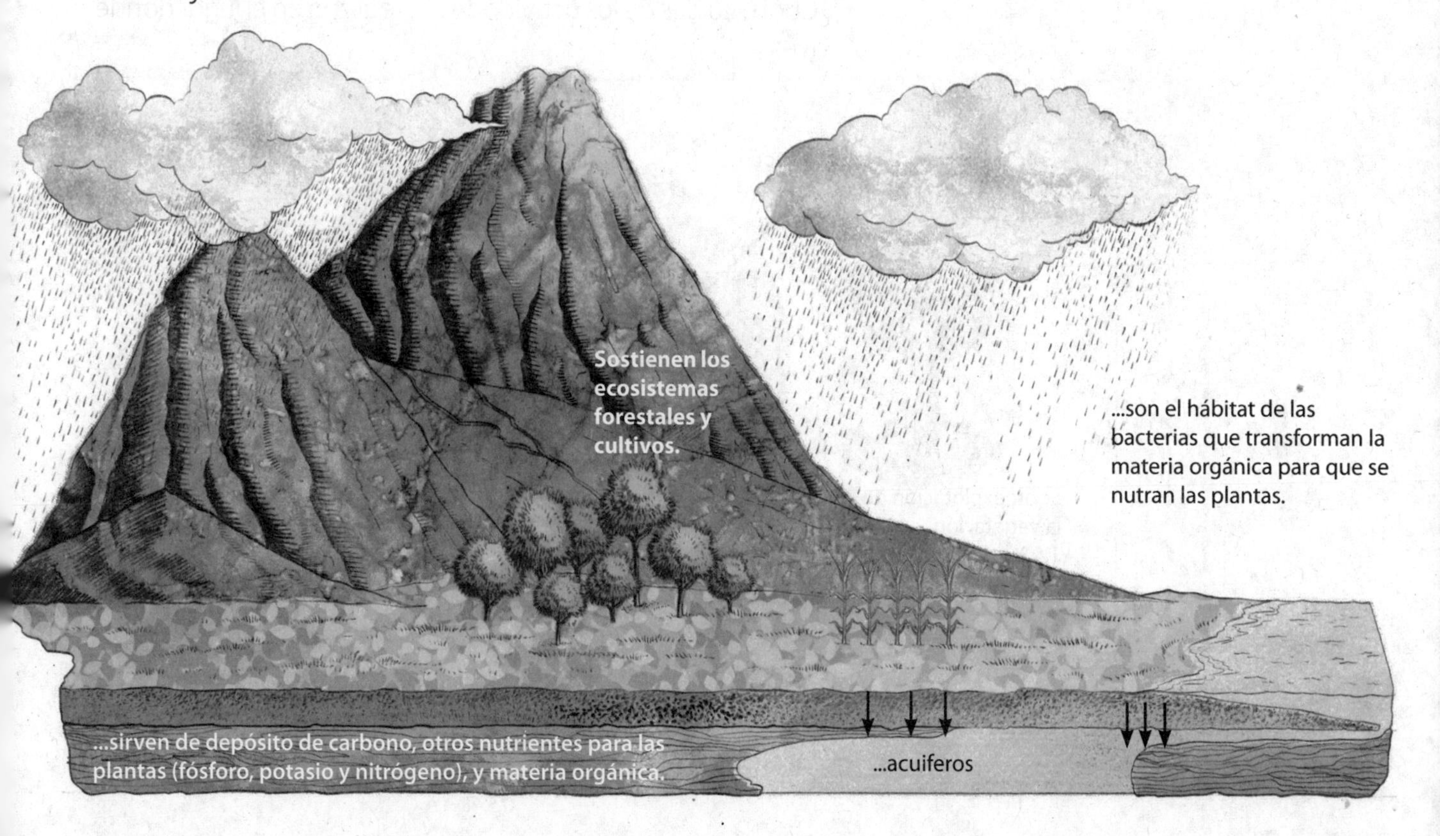

Importancia de los suelos

Generalmente, los suelos de los bosques están poco desarrollados y presentan un alto contenido de materia en descomposición que se conoce como humus. En las selvas, los suelos pierden sus nutrientes, ya que la gran cantidad de agua que escurre se los lleva. Los de regiones secas son pobres en vegetación debido a la falta de agua.

Los suelos tardan cientos y a veces miles de años en formarse, pero pueden acabarse rápidamente; al talar la selva o cuando el agua de lluvia cae directamente al suelo, se erosiona, por lo que su pérdida es considerable. También se erosionan y contaminan debido a las actividades humanas. En México, en 2002, casi la mitad de los suelos del país estaba erosionada como resultado del daño provocado por las actividades económicas. Es necesario restaurarlos para hacerlos útiles nuevamente.

Actividad

Observa en la siguiente imagen las actividades humanas que degradan los suelos en México y contesta en tu cuaderno.

- ¿Cuál es la actividad que afecta más el suelo?
- ¿Cuál es la que menos lo afecta?
- ¿Cuál o cuáles de las actividades se realizan en el lugar donde vives?

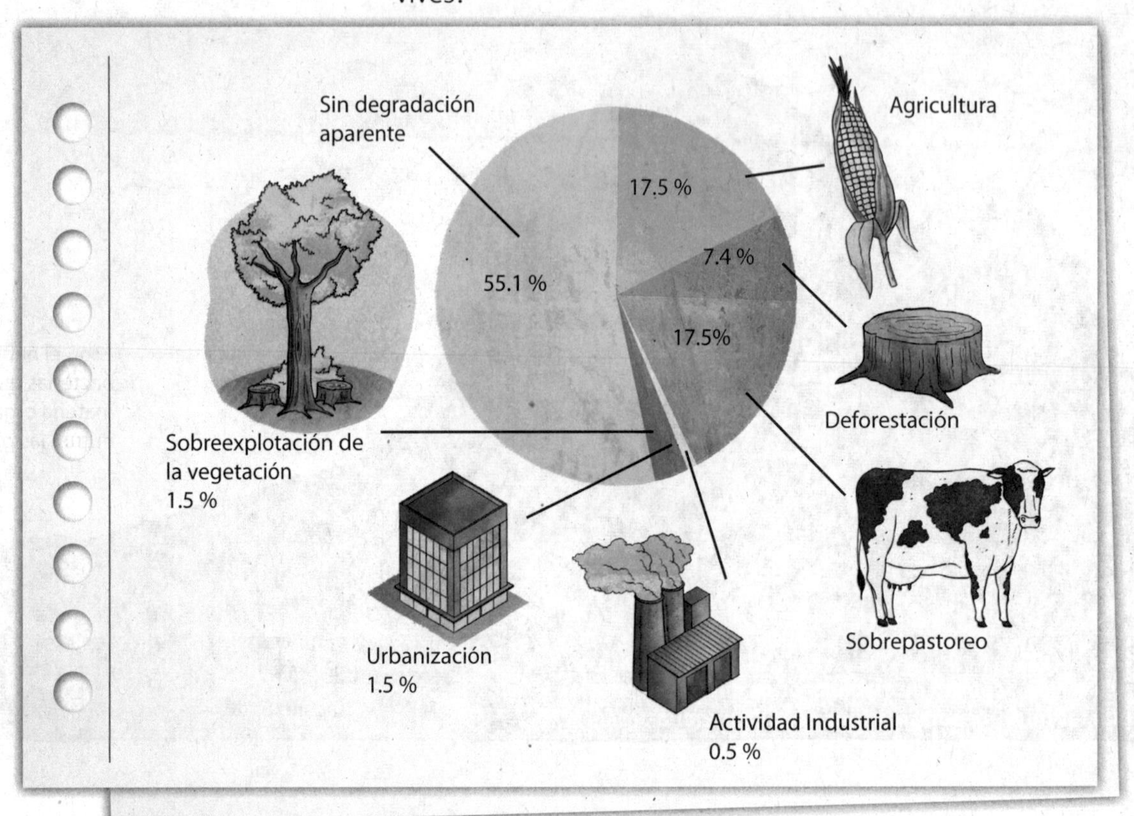

Elige una o dos de las actividades y escribe en tu cuaderno cómo consideras que afectan el suelo.

Investiga cómo afectan las actividades humanas al suelo en el lugar donde vives y expón ante el grupo los resultados.

Los recursos vivos

La variedad y riqueza de plantas y animales que habitan en las regiones naturales conforman la biodiversidad del país. Ésta se integra por el número de especies animales y vegetales que conviven en un área geográfica determinada.

En el planeta existen más de 200 países; sin embargo, sólo 12 tienen una gran diversidad biológica y en conjunto albergan más de las dos terceras partes de la biodiversidad del planeta. Este grupo de países megadiversos está integrado por México, Estados Unidos, Colombia, Ecuador, Perú, Brasil, República Democrática del Congo, Madagascar, China, India, Indonesia y Australia.

Un dato interesante

México ocupa el segundo lugar en el mundo en cuanto al número de especies de reptiles que existen en el país, el tercer lugar en especies de mamíferos y el cuarto lugar en número de especies de anfibios.

Se estima que en nuestro país se encuentra una décima parte de las especies de plantas y animales del planeta. Además, México ocupa uno de los primeros lugares en diversidad de plantas, anfibios y reptiles.

Como estudiaste en la lección anterior, México cuenta con una gran biodiversidad de especies animales, pero muchas se encuentran en peligro de extinción debido, entre otras causas, a la caza indiscriminada; también varias especies han desaparecido. La fauna es un factor importante en el equilibrio ecológico y ambiental de nuestro planeta, cuando una especie desaparece se rompe la cadena alimentaria y se afecta el ecosistema al que pertenecía.

Actividad

Organizados en equipos, investiguen si hay especies animales o vegetales en peligro de extinción en su municipio.

Elaboren carteles anotando la información en textos, a manera de "Un dato interesante". Ilústrenlos con mapas e imágenes y colóquenlos en su salón.

La vegetación es un recurso natural renovable muy importante, ya que ofrece beneficios como los que se muestran en las imágenes.

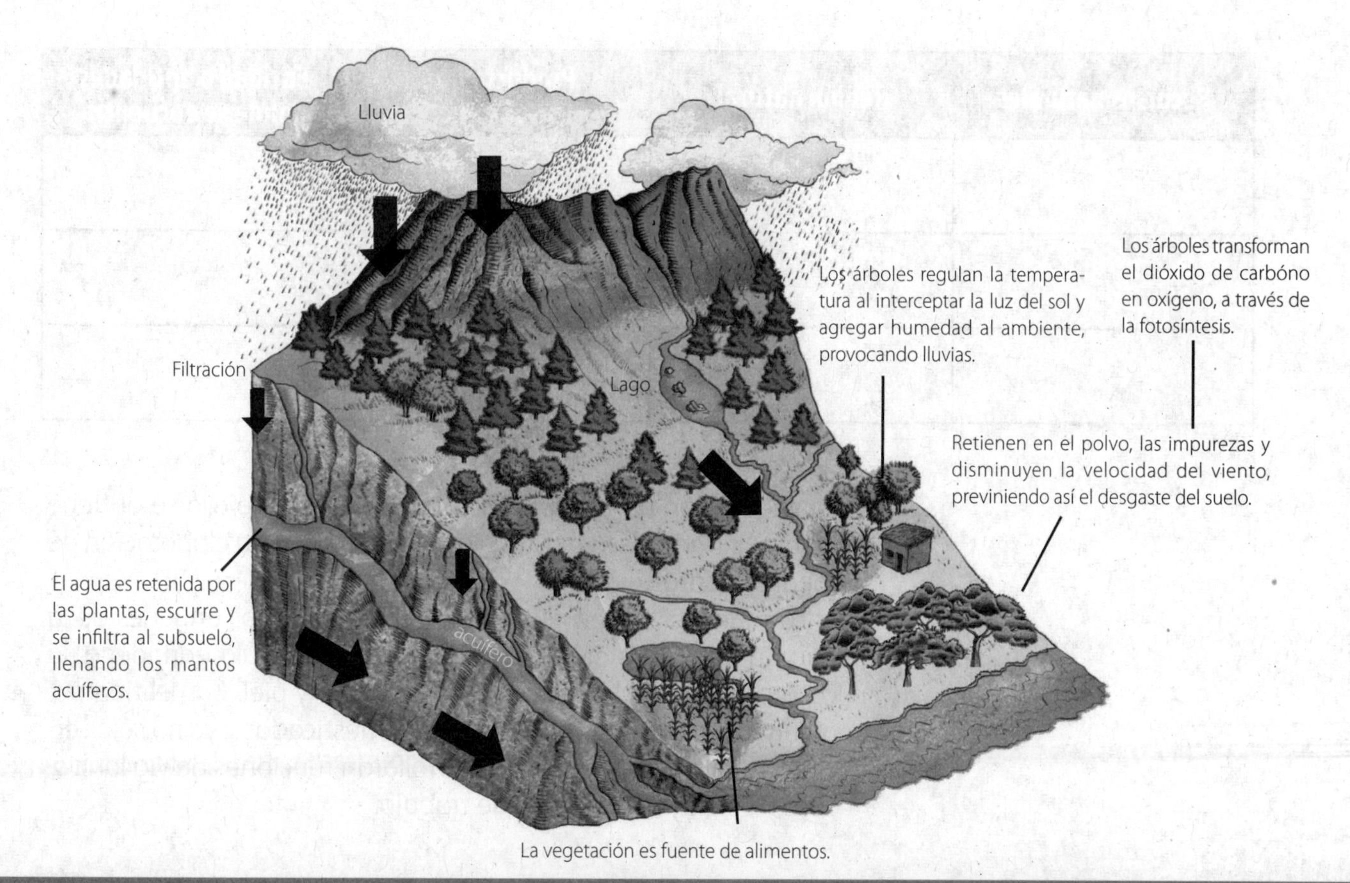

Las siguientes imágenes ilustran los recursos naturales y los productos que se obtienen de las principales regiones naturales del país.

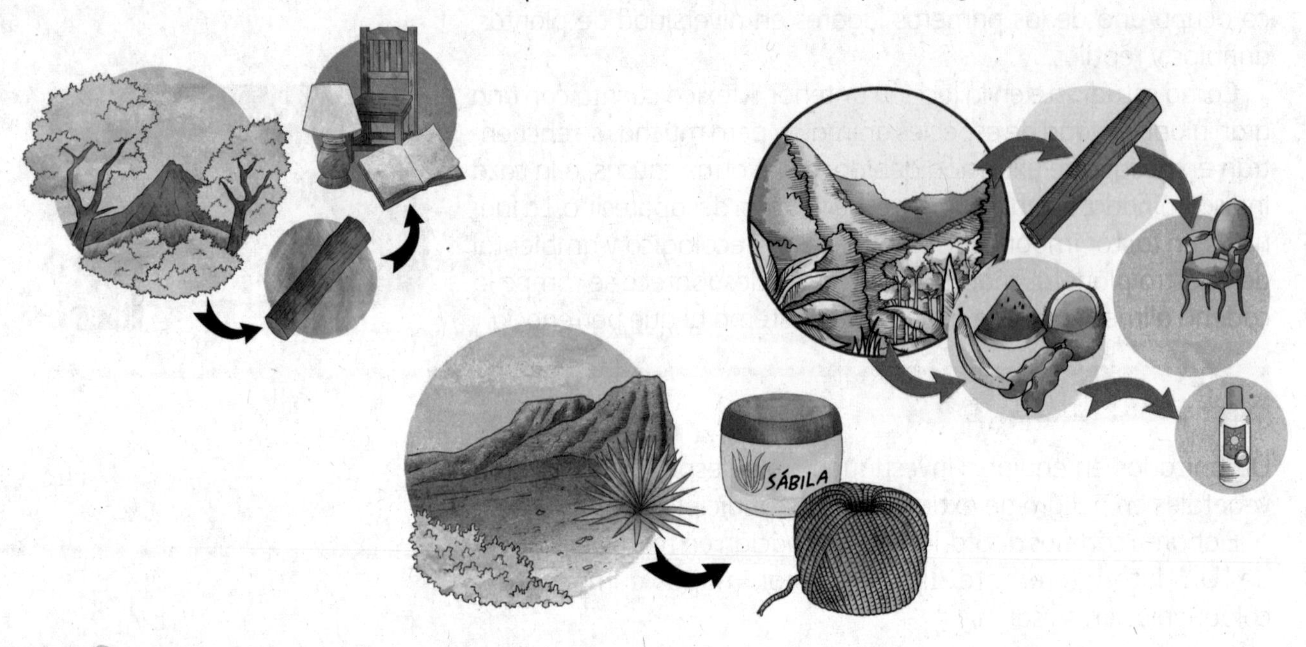

Actividad

Con ayuda de las imágenes anteriores, el mapa de División política de México y el mapa que está en la página 17 de tu *Atlas de México*, completa el cuadro.

Recursos naturales	Región natural	Producto que se obtiene	Entidad o entidades donde se encuentra

La vegetación no sólo proporciona alimento, de ella se obtiene la mayor parte de las sustancias empleadas en la elaboración de medicamentos.

La fauna es un recurso que se utiliza desde los orígenes de la humanidad, pues antes de que se desarrollara la ganadería, la caza proporcionaba los recursos de carne y piel. Con el tiempo, algunas especies animales fueron domesticadas y ya no sólo servían de alimento, sino que desarrollaron funciones de vigilancia, compañía, ayuda y fuerza de trabajo.

Apliquemos lo aprendido

Observa la siguiente imagen y anota en las líneas qué recurso natural se utiliza para su elaboración y de qué región natural se obtiene. Comenta tus respuestas con tus compañeros.

Averigua cuáles son los recursos naturales del lugar donde vives. Elige uno e investiga dónde se encuentra, cómo lo obtienen, qué se elabora con él y qué personas trabajan en este proceso. Ilustra cada respuesta en los recuadros de abajo.

Lo que aprendí

Laura vive en Sinaloa y está muy emocionada porque irá con sus papás a visitar a sus abuelos que viven en Tecomán, Colima. Cuando los vea quiere enseñarles un esquema que hizo en la escuela, sobre la diversidad natural del lugar donde viven sus abuelos.

En equipo, seleccionen una entidad del país, que les interese y que sea diferente a la de ustedes. Después, comenten el esquema que realizó Laura y elaboren uno del estado que seleccionaron, tomando como referencia el siguiente, y lo que aprendieron en el bloque.

Anoten el nombre del estado al centro y las palabras "diversidad natural" y "recursos naturales". Revisen lo siguiente:

- La lección de su texto que les permite identificar las formas del relieve.
- Las páginas del atlas donde se localizan las regiones naturales del país.
- La localización de la cuenca hídrica que pertenece al estado seleccionado.
- La lección donde estudiaron los recursos naturales de México.

Diversidad natural

De la costa a los volcanes

Por último, presenten una exposición en el aula con sus trabajos y explique sus cuadros.

Mis logros

Realiza la lectura del siguiente texto y responde las preguntas. Encierra en un círculo la respuesta que consideres correcta.

La selva más grande de México es la de Montes Azules, también conocida como Selva Lacandona. El calor y las lluvias abundantes han dado lugar a que esta reserva presente la mayor diversidad en cuanto a vegetación y fauna se refiere, por ejemplo, las 300 especies de árboles que alcanzan los 35 metros de altura y algunas plantas propias sólo de México. La fauna, no menos impresionante, presenta la mayor abundancia de especies de mamíferos terrestres de todo el territorio mexicano, como el jaguar. Entre lo verde de la vegetación destacan pinceladas de rojo y azul, colores característicos de las guacamayas rojas; entre los reptiles y anfibios se pueden catalogar 109 especies y gran variedad de insectos.

1. Por las características que acabas de leer, ¿en cuál de las siguientes entidades ubicarías la Reserva de los Montes Azules?
   a) Oaxaca.
   b) Veracruz.
   c) Chiapas.
   d) Guerrero.

2. Por las características leídas, México está considerado como una de las naciones:
   a) Con mayor número de turistas en el mundo.
   b) Que integran el grupo de países megadiversos.
   c) Con mayor extensión de áreas protegidas en el mundo.
   d) De gran producción de madera para la fabricación de papel.

3. Las condiciones climáticas dan lugar a que en esta región:
   a) Se formen arroyos y haya ríos caudalosos.
   b) Abunden las especies de pinos y encinos.
   c) Sus suelos sean adecuados para la agricultura.
   d) Haya muchas especies en peligro de extinción.

Observa el mapa y encierra el nombre de cada río según sus características.

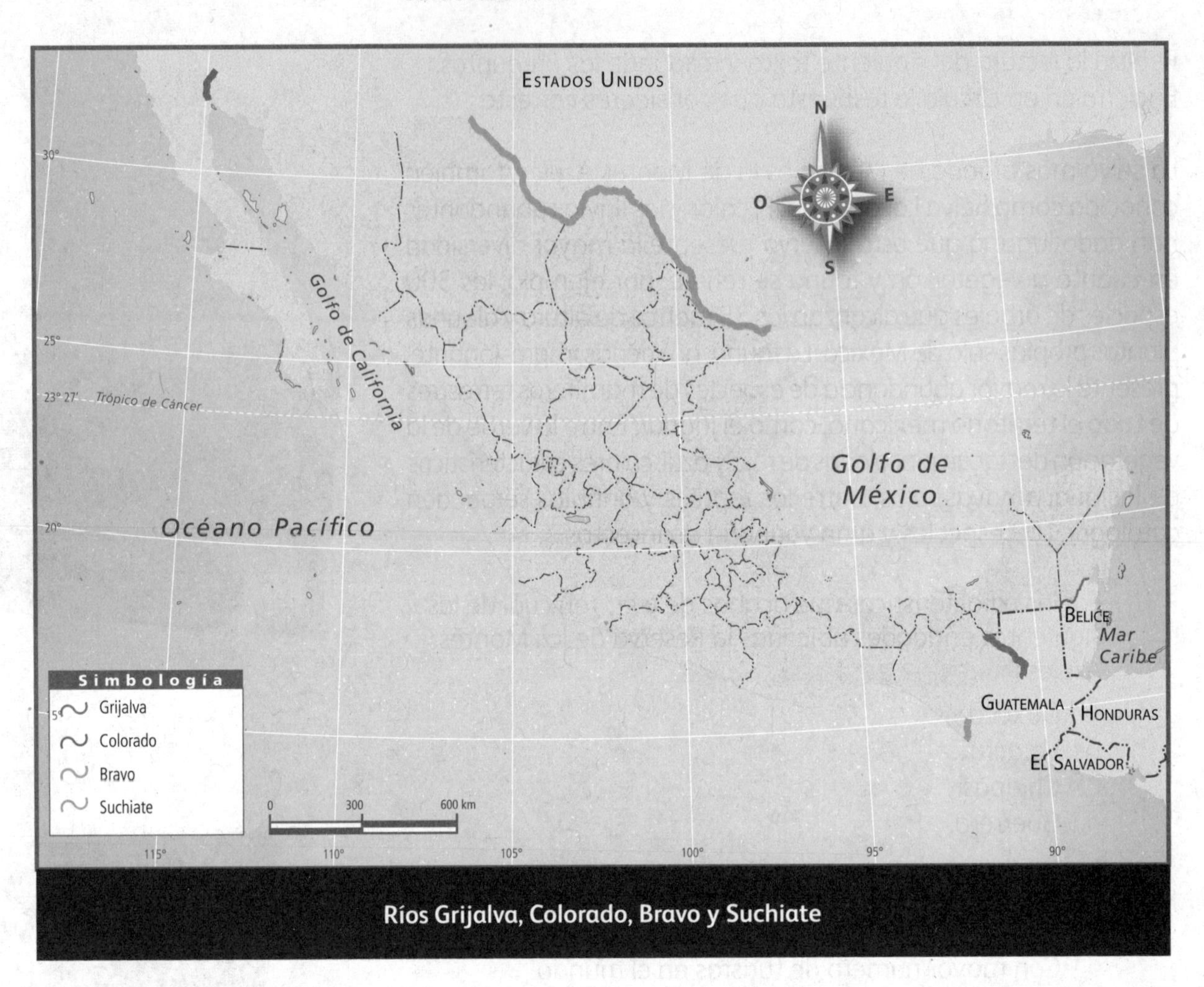

Ríos Grijalva, Colorado, Bravo y Suchiate

4. Es uno de los ríos fronterizos más caudalosos de México.

a) Bravo.
b) Grijalva.
c) Colorado.
d) Suchiate.

5. Sirve de frontera hasta el litoral del Golfo de México y contribuye para el cultivo de riego en la región de pastizales del país.

a) Bravo.
b) Grijalva.
c) Colorado.
d) Suchiate.

Autoevaluación

Es tiempo de que evalúes lo que has aprendido en este bloque. Lee cada enunciado y marca con una palomita (✓) el nivel que hayas alcanzado.

Aspectos a evaluar	Lo hago bien	Lo hago con dificultad	Necesito ayuda para hacerlo
Identifico en esquemas las diferentes formas del relieve.			
Represento en modelos tridimensionales el relieve y las cuencas hídricas.			
Localizo en mapas las regiones naturales del país.			
Identifico en Internet o en libros, información relacionada con los recursos naturales de México.			

Escribe una situación en la que apliques lo que aprendiste, hiciste e investigaste en este bloque.

____

____

Aspectos a evaluar	Siempre	Lo hago a veces	Difícilmente lo hago
Valoro la importancia de los ríos en la distribución del agua.			
Valoro la diversidad natural del país.			
Reflexiono acerca de la importancia de los recursos.			
Reflexiono que una manera de ser productivo es realizar acciones para conservar los recursos naturales del lugar donde vivo.			

Me propongo mejorar en: ____

BLOQUE III

La diversidad de la población en México

Tonalá, Jalisco

Hola, Donají:

Soy Sergio y vivo en Tonalá, Jalisco, una ciudad artesanal que está pegadita a Guadalajara, la capital del estado.

La maestra nos enseñó en un mapa que Tonalá y Guadalajara forman una conurbación, es decir, que la capital y mi ciudad crecieron hasta juntarse. Por eso, casi todas las personas que conozco van y vienen a Guadalajara como si fuera la misma ciudad.

Mis vecinos hacen bonitas artesanías con barro, papel maché o vidrio soplado, y las venden en el mercado de artesanías de aquí y en el de Guadalajara. Incluso creo que las mandan a otros países.

Te mando algunas fotos, espero que te gusten.

Escríbeme pronto.

Abrazos.

Sergio

La cerámica de petatillo realizada por artesanos de Tonalá, Jalisco, es una de las más bellas de la alfarería mexicana. Se caracteriza por su fina decoración con motivos tomados de la naturaleza. La familia de José Bernabé, originaria de Tonalá, fue de las iniciadoras de esta técnica que se ha preservado durante generaciones.

MÁS MEXICANOS, ¿AQUÍ O ALLÁ?

❖ Con el estudio de esta lección analizarás la distribución de la población en el territorio nacional.

Comencemos

Al estudiar las regiones naturales y sus recursos, observaste que hay regiones con mayores posibilidades para que la población se desarrolle, lo que contribuye a que haya lugares más poblados que otros, como las ciudades que describió Sergio en su carta. ¿Consideras que Guadalajara es una ciudad muy poblada? ¿Por qué Sergio le dijo a Donají que Tonalá y Guadalajara forman una conurbación?

Actividad

Busca en tu diccionario el significado de la palabra "conurbación" que menciona Sergio en su carta y con tus palabras escribe la definición en tu cuaderno. Luego, observa en el mapa la parte de los municipios que forman una conurbación con Guadalajara. Finalmente, comenta en grupo por qué las ciudades crecen y se expanden.

Zonas conurbadas de Guadalajara

Aprendamos más

Las razones para vivir aquí

Cuando las personas se mudan, deciden vivir en uno u otro lugar por razones distintas: para estar cerca de sus familiares, en lugares donde el clima y los paisajes les son agradables o para mejorar su nivel de vida.

Históricamente, las regiones con mayor desarrollo agrícola, minero o comercial fueron los lugares más atractivos para vivir, porque ahí había más posibilidades de cubrir las necesidades económicas y sociales de la gente.

Sin embargo, antes de 1970, la mayor parte de la población vivía en zonas rurales y trabajaba en la producción agrícola, ganadera y forestal. No obstante, el crecimiento industrial, que requería de muchos trabajadores (mano de obra), y la falta de apoyo económico al campo, obligaron a las personas a irse a vivir a las ciudades, donde había mayores oportunidades de trabajo, provocando así que las ciudades crecieran más.

❖ Ciudades como Zacatecas crecieron gracias al auge de la actividad minera que atrajo a miles de personas para trabajar en ella; pero otras como Querétaro aumentaron su extensión debido a que se encuentran entre ciudades más grandes y puertos donde se practica el comercio, como Acapulco y Veracruz.

Lean con sus padres u otros adultos, el texto anterior y pregúntenles cuáles de las razones que se mencionan serían aún válidas para ellos.

Exploremos

Consulta tu *Atlas de México*, compara el mapa y la gráfica de Población total por entidad federativa, página 28, con el mapa y gráfica de densidad de población, página 29. En tu cuaderno responde:

- ¿Cuáles de las entidades más pobladas coinciden con las más densamente pobladas?
- ¿Qué lugar ocupa tu entidad en ambas gráficas?

Ubica Colima en ambas gráficas y responde:

- ¿Qué lugar ocupa en la gráfica de las entidades más pobladas? ¿Y en la de entidades más densamente pobladas?
- ¿A qué consideras que se debe esa diferencia?

Acueducto de Querétaro, Querétaro.

Consulta en...

Para conocer los municipios más y menos poblados del país, consulta la página de Internet http://cuentame.inegi.gob.mx/ Da clic en Población y luego en Número de habitantes.

Juntos o separados

La densidad de población se refiere a la cantidad de personas que viven en un territorio, por ello considera el tamaño de un país, una entidad o un municipio.

Si observaras el territorio mexicano a vuelo de pájaro, te darías cuenta de que existen algunas zonas despobladas donde las casas están muy separadas unas de otras y de que hay otras ciudades en las que viven tantos habitantes, que las construcciones se encuentran muy cercanas.

La densidad de población es menor porque sólo hay una persona en cada metro cuadrado.

La densidad de población es mayor porque hay más personas por cada metro cuadrado.

Para que comprendas qué es la densidad de población, realiza lo siguiente.

Necesitarás hojas de papel, regla, 40 piedras del tamaño de un frijol y pegamento blanco.

Reúnete con un compañero y en una hoja de papel tracen un rectángulo como el que ves abajo.

Dejen caer las piedras sobre el papel, cuenten cuántas cayeron en cada cuadrado y anótenlo dentro del mismo.

En caso de que seis piedras hayan caído sobre un cuadrado de 3 por 3 cm, la manera de expresar la densidad sería: "El cuadrado uno tiene una densidad de seis piedras en tres centímetros cuadrados".

Comenta con tu compañero: ¿cuál de sus cuadrados tuvo la mayor densidad de piedras?, ¿cuántas hay dentro de éste?

Si suponemos que cada cuadrado de la hoja es un kilómetro cuadrado, que cada piedra representa a 10 personas y en un cuadrado cayeron seis piedras, entonces la densidad de población se expresaría así: "En el cuadrado uno hay una densidad de 60 habitantes por kilómetro cuadrado".

Comenta con tu compañero cuántas personas hay en el kilómetro cuadrado que tuvo la mayor densidad de población y cuál fue la menor densidad de población en los kilómetros cuadrados representados en el papel.

Al igual que tu hoja se dividió en cuadros, el territorio mexicano y el de tu entidad se pueden dividir en kilómetros cuadrados para saber cuánta población los habita.

Ahora, peguen las piedras para representar la densidad de población de algunas entidades del país. Dentro de su cuadrícula escriban el nombre de 12 entidades que incluyan el norte, centro y sur de México. Las entidades del norte anótenlas en los cuadrados de la parte superior de la hoja; las del centro, en los cuadrados de en medio, y las del sur, en la parte inferior.

Observen en la página 29 de su *Atlas de México* la densidad de Colima, que es de 100 habitantes por kilómetro cuadrado (100 hab/km^2). Si una piedra representa a 10 personas, deberán pegar 10 piedras sobre el cuadrado que representa a ese estado. Hagan lo mismo con las entidades que ustedes seleccionaron.

Finalmente, muestren sus trabajos a otro equipo, observen si eligieron las mismas entidades y expliquen por qué.

En grupo, comenten: ¿cómo es la densidad de la población en el Distrito Federal a diferencia de Baja California Sur?

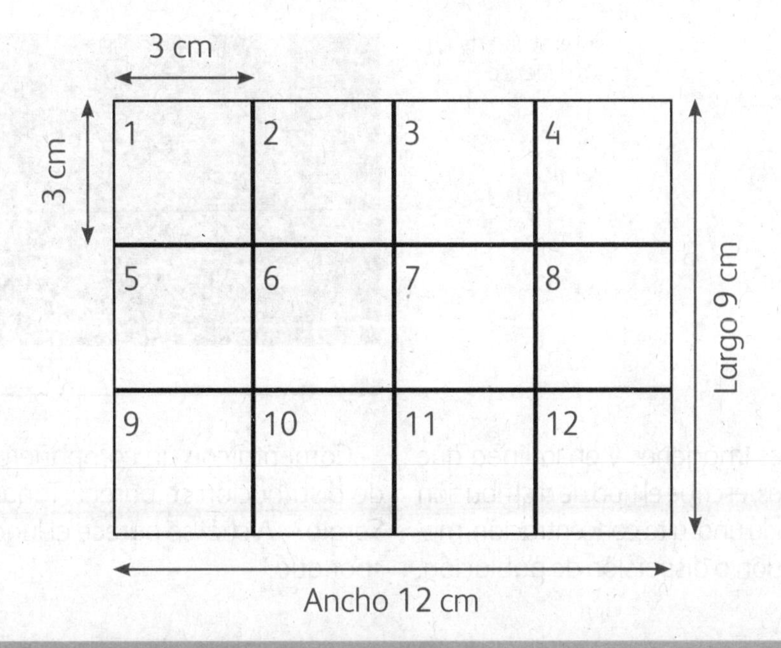

Un dato interesante

Las futuras ciudades fantasma

La revista *Forbes*(especializada en negocios) publicó en 2007, que para el año 2100, grandes ciudades desaparecerán por el calentamiento global, las crisis económicas o el envejecimiento demográfico. La Ciudad de México, que hoy cuenta con casi nueve millones de habitantes, será una de ellas; las principales causas serán el hundimiento constante del terreno y la disminución del abastecimiento de agua potable para la población capitalina.

Formas de distribución demográfica

La cantidad de casas, edificios o calles, así como la distancia entre ellos, determinan las tres formas en las que se puede distribuir la población sobre el territorio: alta concentración, mediana concentración y dispersión.

◈ Angangeo, Michoacán.

◈ El roble, Nayarit.

◈ Lechería, estado de México.

Observa las tres imágenes y en la línea que está debajo de ellas, escribe el tipo de distribución que representa cada una: alta concentración, mediana concentración o dispersión de población.

Comenta con un compañero: ¿a cuál forma de distribución se parece Tonalá, la ciudad de Sergio? ¿A cuál se parece el lugar donde vives?, ¿por qué?

Apliquemos lo aprendido

En nuestro país, cada 10 años, el Inegi (Instituto Nacional de Estadística y Geografía) lleva a cabo un censo, y cada cinco años, un conteo que reúne información importante sobre las condiciones de vida y las actividades de la población. El Conteo Nacional de Población y Vivienda más reciente se realizó en 2005, indica que en nuestro país existen 358 ciudades y 184 mil localidades rurales.

Aunque existen más localidades rurales, en ellas viven menos personas que en las ciudades. El último censo de Población y Vivienda se realizó en mayo y junio de 2010.

Para que identifiques las áreas del país donde se concentra más la población, observa en el anexo, página 190, el mapa de Principales ciudades de México, con más de 100 mil habitantes.

Reúnete con un compañero y en su cuaderno anoten el número de ciudades que tiene cada entidad. Elaboren una tabla como la que aparece en esta página.

En su tabla, subrayen con rojo las tres entidades que tienen más ciudades con más de 100 mil habitantes.

Consulten el mapa de la página 28 del *Atlas de México* y respondan en su cuaderno:

Ver anexo

Principales ciudades de México

- ¿Coinciden las tres entidades que tienen más ciudades con las tres que tienen mayor población?

En las que no coinciden:

- ¿A qué consideran que se debe?
- ¿En qué región del país (occidental, norte, sur y oriental) hay más ciudades?
- ¿Cuántas ciudades tiene su entidad?

Si conocen sus nombres, anótenlos y comenten sus respuestas en grupo.

En las ciudades marcadas en el mapa anterior, reside casi 60% de la población nacional y se generan dos terceras partes del empleo total, una de las razones más importantes por las que la gente decide vivir en ellas.

Entidad	Ciudades con más de 100 000 habitantes

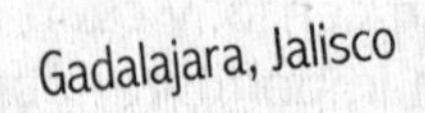

Gadalajara, Jalisco

Hola, Donají:

Soy Saúl, esta vez te escribo para decirte que ya no estoy en el rancho de Los Sauces, cerca de Tepatitlán, ahora vivo en Guadalajara.

Aquí hay edificios muy grandes y muchos automóviles. Me gusta que la televisión tenga varios canales, pero no me agrada que en el departamento donde vivimos no puedo jugar porque incomodo a los vecinos, así que mi abuelo me lleva en las tardes a un parque donde hay columpios, resbaladillas y hasta un lago. Es divertido, pero extraño los paseos a caballo en el rancho.

Hace unos días mi abuelo me llevó en el tren subterráneo, que llaman metro, a un mercado muy grande en el que encontramos fruta, crema, queso como el que hacen en mi pueblo y muchas otras cosas. Me gusta viajar en el metro porque llegas rápido a muchos lugares.

La escuela me queda cerca, por lo que ya no tengo que levantarme tan temprano ni bañarme con agua fría.

Algo que no me agrada es que hay muchos camiones, que aparte de hacer ruido, contaminan y me molesta que me lloren los ojos cuando hay mucho humo. Además, hay demasiada gente que ni saluda y mi mamá sale muy tarde del trabajo.

Te mando la foto del Parque Alcalde, donde juego por las tardes.

Escríbeme pronto.

Saúl

◈ Parque Alcalde. Guadalajara es una ciudad con grandes mercados llenos de gente y productos de muchos lugares. También tiene parques, como el de la foto, donde los niños jugamos.

CUANDO LAS CIUDADES CRECEN

❖ Con el estudio de esta lección identificarás los efectos de la concentración urbana en México.

Comencemos

Saúl escribió sobre sus experiencias en la ciudad donde vive actualmente, después de haber vivido en el campo. Comenten en grupo cuáles son las diferencias entre un lugar y otro.

Actividad

Hagan un recorrido por el lugar donde viven y respondan en su cuaderno las siguientes preguntas:

- Por lo que observaste, ¿qué características tiene?
- ¿En qué se parece al lugar donde vive Saúl?
- ¿Qué tipo de comunidad es?

Al terminar, escriban y dibujen en su cuaderno lo que les gusta y lo que les desagrada del lugar en donde viven y expliquen por qué.

Aprendamos más

El crecimiento de las ciudades

Como viste en la lección anterior, durante mucho tiempo, la población más numerosa en el país fue la rural, dedicada principalmente a las actividades agrícolas y ganaderas, pero el crecimiento de la población y la concentración de servicios e industrias en ciertos lugares, han dado lugar a que cada vez haya más personas viviendo en localidades urbanas, desde 2 500 habitantes, hasta ciudades muy grandes con varios millones de habitantes.

En 1950, más de la mitad de la población del país vivía en localidades rurales; actualmente, tres de cada cuatro personas viven en ciudades y sólo una pertenece a la población rural.

❖ En la actualidad, es común que personas que viven en zonas rurales se trasladen a la ciudad más cercana en busca de empleo. Aunque tengan que adaptarse a su nueva localidad, muchas veces conservan las tradiciones y costumbres de su lugar de origen.

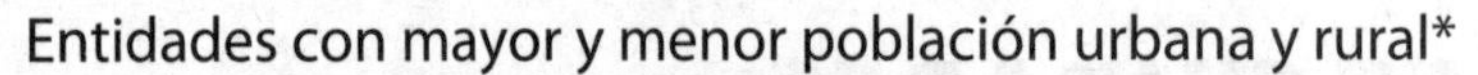

Entidades con mayor y menor población urbana y rural*

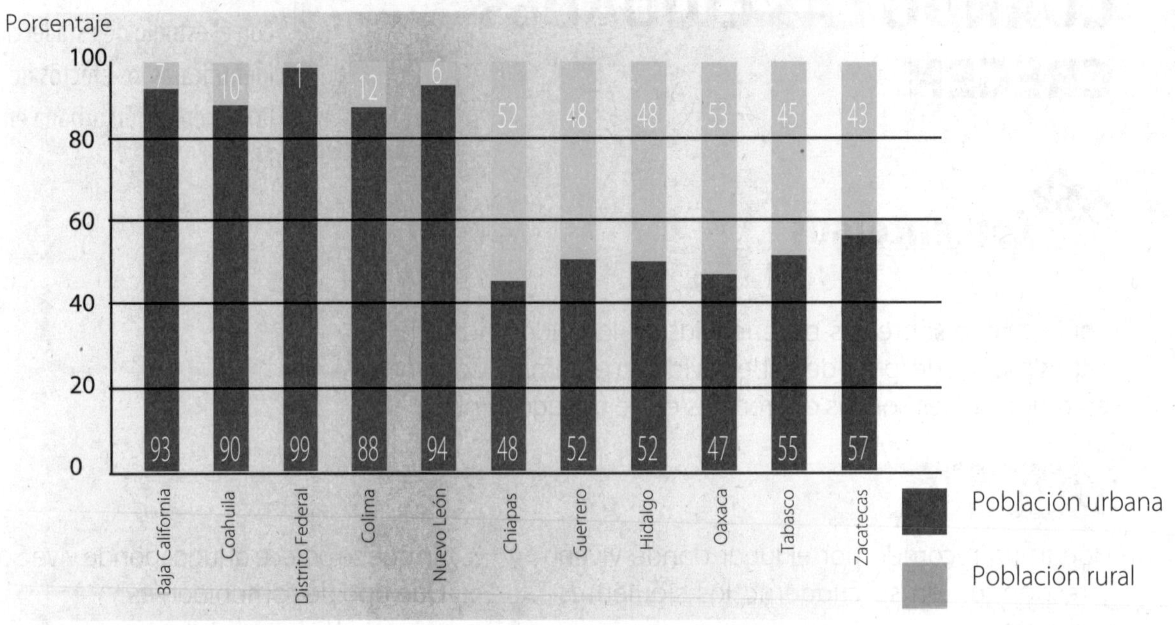

* Inegi, 2005, *Cuéntame.*

Exploremos

Observa la gráfica sobre población urbana y rural que está arriba.

Reúnete con un compañero, identifiquen las cinco entidades con mayor población urbana y coloréenlas en el mapa siguiente.

Localicen y coloreen de otro color los cinco estados con menor población urbana.

Comenten y respondan en su cuaderno: ¿cuáles son los estados que tienen mayor población rural y en qué región del país se localizan?

Con la ayuda de su maestro, investiguen cuál de las siguientes ciudades es la más poblada del país: Ciudad de México, San Cristóbal Ecatepec, Guadalajara, Monterrey, Puebla, Tijuana o Ciudad Juárez. Ubíquenlas en el mapa.

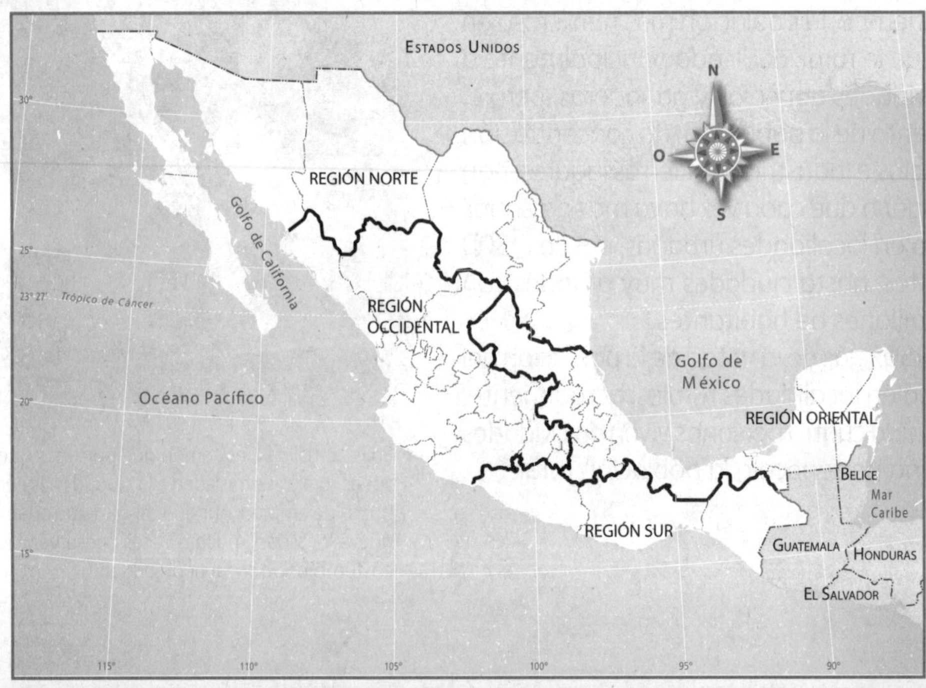

Los problemas de las grandes ciudades

A medida que crecen las ciudades, aumentan las necesidades de la población, que requiere de más servicios, como agua potable, electricidad y drenaje, pero también de más viviendas, transportes y alimentos que vienen del campo.

Cuando una ciudad crece de manera excesiva, es probable que se produzcan efectos negativos para el ambiente y la salud de su población. La demanda de vivienda puede provocar que las construcciones y el asfalto invadan las zonas verdes, que haya exceso en el consumo de combustibles y aumento de basura, como envases desechables y empaques de alimentos.

◈ De acuerdo con el Inegi, la población rural de México se ha reducido en comparación con la población urbana, mientras que sus condiciones de vida se han deteriorado drásticamente.

◈ Ciudad de Zacatecas, Zacatecas.

Actividad

Observa las imágenes.

Reúnete con un compañero y en sus cuadernos describan el problema que observan en cada imagen y por qué consideran que ocurre.

- ¿Las imágenes representan los problemas que hay en el lugar en el que viven?

Seleccionen uno de los problemas del lugar donde viven. Imaginen uno o más personajes y representen con dibujos la secuencia del problema, como si fuera una historieta. No olviden anotar sus diálogos y pensar en un título.

Compartan la historieta con sus compañeros. En grupo y con el apoyo de su maestro, seleccionen uno de los problemas, identifiquen sus causas y expresen ideas que contribuyan a evitarlo o disminuirlo.

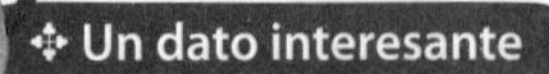

Un dato interesante

Según la Secretaría de Medio Ambiente y Recursos Naturales (Semarnat), en las grandes ciudades, como las de México, Monterrey y Guadalajara, cada habitante produce diariamente un kilo de basura.

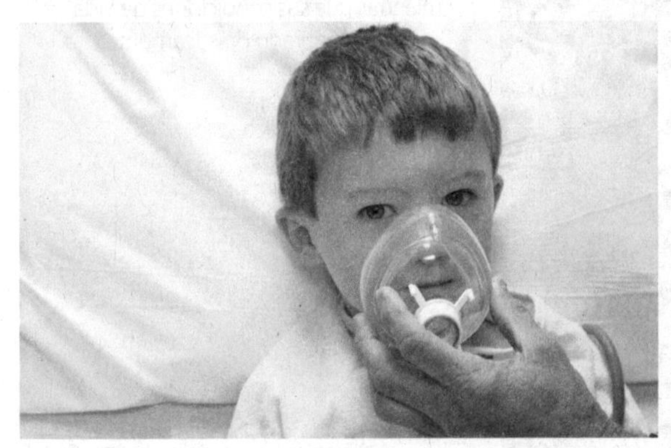

El crecimiento urbano sin control provoca muchos problemas que afectan el nivel de vida de sus habitantes, tales como la concentración de pobladores en cada vez menos áreas disponibles y la acumulación de basura, lo cual puede afectar la salud de todos, particularmente de los niños y ancianos.

La acumulación de basura en las calles es uno de los problemas de contaminación en las localidades urbanas como la Ciudad de México..

Estación del Metro en la Ciudad de México.

La gran concentración de personas en algunas ciudades ocasiona la aglomeración en centros habitacionales y medios de transporte. Unidad habitacional en el Estado de México.

Los efectos sociales y económicos en las localidades rurales

Las zonas rurales son importantes para la economía del país, ya que son productoras de alimentos de origen agrícola y ganadero. También por ser lugares donde se preservan los bosques y se realizan actividades turísticas que contribuyen a la conservación del ambiente.

La posibilidad que tienen los habitantes de las ciudades de adquirir frutas y verduras, se debe en gran parte a la población que vive en los medios rurales.

La mayor parte de la población rural ha disfrutado de algunas ventajas como vivir en contacto con la naturaleza, respirar aire con muy pocos contaminantes y obtener ciertos alimentos para su subsistencia. Sin embargo, no hay suficientes servicios básicos, ya que muchas personas no cuentan con agua, luz y drenaje.

Es frecuente que sólo haya una escuela con uno o dos profesores para todos los grados, a la que asisten niños y niñas que tienen que caminar desde lugares lejanos. El aislamiento de las localidades rurales por la falta de vías de comunicación representa una situación desfavorable para el desarrollo de las familias y las comunidades.

Cominudad rural en la sierra en Michoacán.

La inclinación del terreno en regiones montañosas y los suelos pantanosos de las selvas, dificultan la construcción de caminos y la distribución de servicios básicos como agua potable y energía eléctrica hacia las comunidades rurales más alejadas y dispersas.

Actividad

Lean en equipo la nota informativa de la página siguiente y hagan lo que se pide:

Cada uno subraye las ideas que describen algunos de los problemas sociales y económicos de la población rural.

Comparen sus trabajos y comenten sus diferencias.

En equipo y con la orientación del maestro, digan su opinión acerca de algunas acciones para mejorar la situación de la población rural, que permitan a los habitantes permanecer en sus comunidades.

página 10

EL PERIÓDICO

México, 2011

Una población muy dispersa

En las poblaciones rurales es común que la gente viva de lo que siembra y recolecta, por eso sus necesidades económicas son diferentes a las de las ciudades. Sin embargo, la pérdida de los suelos, la falta de apoyo al campo y la escasez de trabajo han originado la migración de muchos de sus habitantes, principalmente jóvenes. Mientras más alejadas se encuentran las poblaciones rurales de las ciudades, los servicios como carreteras, agua potable, drenaje, luz, educación y salud son más escasos o no existen.

Nueve de cada 10 localidades rurales del sur del país presentan el mayor rezago socioeconómico, principalmente las poblaciones indígenas. Según el Consejo Nacional de Población (Conapo), nueve de cada 10 de sus habitantes de más de 15 años son analfabetas y nueve de cada 10 pobladores habitan en viviendas de tamaño insuficiente y con carencia de servicios básicos. 96 de cada 100 trabajadores obtienen un ingreso menor a dos salarios mínimos.

◈ El uso de la tecnología se ha convertido en una necesidad para los habitantes de las zonas rurales, lo que se puede observar en la manera de pensar, el comportamiento, la ropa que utilizan y los productos que consumen.

La disponibilidad de servicios básicos en los hogares urbanos es mayor que en los rurales. La electricidad es uno de los servicios con el que más cuenta la población rural, pues ocho de cada 10 hogares la tienen. Esto ha contribuido a que la radio y la televisión influyan en algunas de las costumbres y la forma de ser de la población.

Muchas veces, los habitantes de localidades rurales tienen que buscar trabajo fuera del lugar donde viven para obtener mayores ingresos. A veces lo hacen migrando a otros estados o países, también se trasladan diariamente a la ciudad más cercana en busca de un mejor salario y tratando de adaptarse a la vida urbana. A pesar de la cercanía con las localidades urbanas, todavía conservan algunas de sus tradiciones y costumbres.

Comenten en grupo si el abandono del lugar de origen en búsqueda de trabajo e ingresos permite vivir mejor.

Apliquemos lo aprendido

La contaminación por basura es uno de los efectos ambientales que puede apreciarse a simple vista en los espacios urbanos y rurales.

Las ciudades, los poblados, los ríos, los lagos y las barrancas presentan un panorama cada vez más sucio y contaminado aun en las comunidades aisladas. Los plásticos en todas sus variedades, las latas de aluminio y los productos sintéticos forman parte del "paisaje".

Para que contribuyamos a resolver algunos problemas ambientales que están presentes sobre todo en las ciudades, realiza la siguiente actividad.

Acompaña a un familiar cuando vaya al mercado, centro comercial o tianguis. Observa y registra en tu cuaderno la siguiente información:

- ¿Qué tipo de productos compran las personas?
- ¿Qué productos están empaquetados en envases de plástico, papel encerado, cartón o aluminio?
- ¿Cuántas bolsas de plástico recibe cada persona cuando va de compras?
- ¿En qué tipo de materiales se empaca la carne?
- La persona a la que acompañas, ¿llevó su canasta o bolsa?

A partir de la información obtenida y con el apoyo del maestro, analicen qué envases contaminan el ambiente y cuáles pueden ser reusados o reciclados.

Elaboren carteles donde muestren las consecuencias de que la población utilice y tire los envases de plástico en los campos agrícolas y ríos de las áreas rurales, así como en las calles de las ciudades.

Consulta en...

En el siguiente sitio electrónico: http://iris.inegi.gob.mx/mapoteca/, investiga cuáles son los servicios públicos que hay en las poblaciones rurales donde vivieron dos de los amigos de Donají: Saúl y Gabriela. Entra en la carpeta División territorial y activa la casilla "Localidades rurales". Busca las localidades: Los Sauces, Jalisco, y Guaquitepec, Chiapas. Activa sus fichas de información e identifica sus diferencias.

◈ Es importante seleccionar y desechar correctamente los desperdicios reciclables y aquellos que pueden ser tóxicos para el ambiente, como las baterías.

Nieves, Zacatecas

Donají, ¿cómo estás?

Me llamo Antonio y vivo en Nieves, Zacatecas. Mi papá tiene cinco hermanos que se fueron sin documentos a Estados Unidos, pero ahora ya tienen permiso para trabajar, por eso vinieron a ver a la familia. Ayer llegaron dos tíos de Texas, me trajeron unos tenis y una patineta, los otros tres están en Los Ángeles. Se fueron desde muy jóvenes, pero no olvidan su país ni a su familia. Hay quienes se quedan y no regresan. En Nieves hay muchas mujeres y hombres que se van a trabajar a Estados Unidos porque aquí no encuentran empleo o les pagan muy poco.

Me da mucho gusto ver a mis tíos porque son parte de mi familia. Cuando llegan nos reunimos con mis abuelos y la pasamos muy bien. Todos escuchamos la música que traen, es la que les gusta a los mexicanos que se tienen que ir a trabajar a Estados Unidos.

¿Conoces a alguien que se haya ido a vivir a Estados Unidos? Cuéntame de ti y del lugar donde vives.

Hasta pronto.

Antonio

◆ Los migrantes que vuelven de Estados Unidos traen algunas costumbres y modas. También la cultura mexicana ha influido mucho por allá.

NI DE AQUÍ NI DE ALLÁ

❖ Con el estudio de esta lección distinguirás las características de la migración interna y externa de la población.

Comencemos

Al igual que Antonio, ¿tienes familiares que se han ido a vivir a otra entidad o país?

Actividad

Lee el fragmento de la siguiente canción y después comenta con tus compañeros cuál es el tema que trata.

Yo, como muchos, me fui
al norte, a Estados Unidos;
dejé a mis padres queridos
y al pueblo donde nací.
En la frontera sufrí
con el pollero y la migra,
se sabe que uno peligra,
es muy incierto el atajo,
pero aspirar a un trabajo
ni es vergüenza, ni delito.

"Yo, como muchos, me fui" (fragmento), Guillermo Velázquez y los Leones de la Sierra de Xichú.

❖ Es común que familias completas de jornaleros agrícolas salgan de sus comunidades de origen para emplearse en otras entidades. A menudo sucede que estos jornaleros migrantes viajan y viven en condiciones poco favorables para su desarrollo, e incluso que las niñas y los niños trabajen con sus padres para ganar un poco más de dinero. Al terminar la cosecha, algunos vuelven a su tierra.

Investiga el significado de las palabras que no entiendas y anota su definición, con tus propias palabras, en el diccionario personal que elaboraste en la asignatura de Español. Si conoces otra canción que hable sobre los migrantes, llévala a la escuela para que la escuchen y comenten su contenido.

Hacia dónde van

Algunas personas, a lo largo de su vida, cambian de residencia una o más veces, generalmente lo hacen para mejorar su situación económica, tener mejores servicios educativos y de salud, o más espacios recreativos y culturales. Como estudiaste en la lección anterior, la falta de apoyo en el campo y la escasez de trabajo en las zonas rurales ocasionan que la población, sobre todo los jóvenes, se vayan a las ciudades a buscar mejores oportunidades. A este cambio de residencia se le llama migración y puede ser temporal o definitiva.

Por otra parte, a la persona que deja el lugar donde vive para irse a vivir a otro se le llama emigrante y cuando se establece en otro lugar se le conoce como inmigrante.

Cuando estos cambios de residencia o movimientos migratorios tienen como destino otra localidad, municipio o entidad dentro de un mismo país se le llama migración interna. Pero si los migrantes cruzan las fronteras del país, entonces se presenta una migración externa.

En la migración interna la mayoría de las personas sale del Distrito Federal, de Veracruz y Sinaloa. Las entidades con menos emigrantes son Baja California Sur, Aguascalientes y Colima.

La migración externa se da principalmente a Estados Unidos, porque ahí las personas encuentran trabajo mejor pagado.

Consulta en...

Consulta en Internet las siguientes páginas, en las que conocerás cómo viven las niñas y los niños migrantes de nuestro país. http://redescolar.ilce.edu.mx/redescolar/biblioteca/htm-migrante/index.htm http://www.unicef.org/spanish/infobycountry/mexico_38520.html

Exploremos

Observa los mapas de las páginas 30 y 31 de tu *Atlas de México*, localiza tu entidad, compara la emigración con la inmigración y anota en tu cuaderno cuáles son las tres entidades con mayor emigración interna y las tres con menor inmigración, ¿coinciden?

- ¿Cuál es más alta en tu entidad, la emigración o la inmigración?
- ¿Por qué las personas emigran o inmigran?

Comenta tus respuestas con tus compañeros.

Los que se mueven en el país

Entre las entidades que reciben más inmigrantes estan las que tienen lugares turísticos atractivos, pues ofrecen mejores oportunidades de trabajo que atraen a la población.

Los principales motivos por los que la población de una entidad migra son los económicos y la inseguridad provocada por los riesgos naturales y la violencia. En algunos estados, como Guerrero y Oaxaca, es más frecuente la migración temporal, es decir, la gente se traslada por algunos meses a Sinaloa y Baja California para la recolección de tomate rojo o la pizca de algodón, pero después regresa a sus hogares.

◈ La necesidad económica ha obligado a los campesinos a emigrar a otros estados o al extranjero.

◈ El turismo es una de las actividades económicas importantes para nuestro país, pues genera fuentes de ingreso para los prestadores de servicios que trabajan en ese sector. Por eso, los lugares turísticos como Cabo San Lucas, en Baja California, atraen a migrantes temporales y permanentes en busca de mejores condiciones de vida.

Exploremos

Observa en el anexo, página 191, el mapa de Principales corrientes migratorias internas (1995-2000) y comenta las siguientes preguntas con tus compañeros: ¿de dónde sale el mayor número de migrantes?, ¿hacia dónde se dirigen?, ¿cómo es el flujo migratorio en tu entidad?

La frontera internacional con mayor intercambio comercial y humano es la que separa a México de Estados Unidos, por la que diariamente cruzan miles de personas en ambos sentidos.

ver anexo

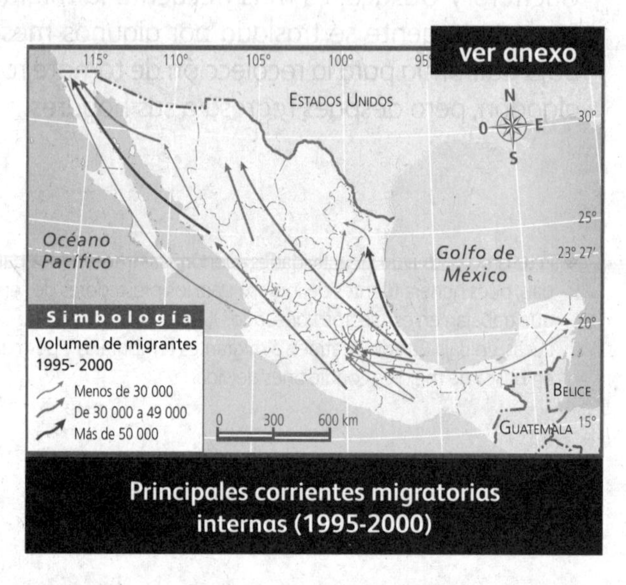

Principales corrientes migratorias internas (1995-2000)

Los que se van del país

Cada vez es mayor el número de mexicanos que emigra a otros países para buscar mejores condiciones de vida. En 2005, uno de cada 10 mexicanos era emigrante y los principales países de destino eran: Estados Unidos, Canadá, España, Bolivia y Guatemala.

De acuerdo con el Consejo Nacional de Población (Conapo), en Estados Unidos residen más de 11 millones de personas nacidas en México, de las cuales dos de cada tres son emigrantes que provienen principalmente de: Aguascalientes, Baja California, Chihuahua, Durango, Guanajuato, Jalisco, Michoacán, Nayarit, San Luis Potosí y Zacatecas.

Las ciudades fronterizas como Tijuana, Ciudad Juárez, Nuevo Laredo y Piedras Negras son importantes para los flujos migratorios hacia Estados Unidos, ya que por ellas sale la mayor parte de la población emigrante. Los migrantes mexicanos trabajan principalmente en actividades agrícolas, de limpieza y comerciales. Los estados a los que llegan son California, Texas, Illinois, Florida y Arizona.

Un dato interesante

De acuerdo con el Consejo Nacional de Población (Conapo), en 2006 uno de cada tres zacatecanos vive en Estados Unidos, al igual que una de cada cinco personas nacidas en Jalisco, Michoacán y Durango.

Apliquemos lo aprendido

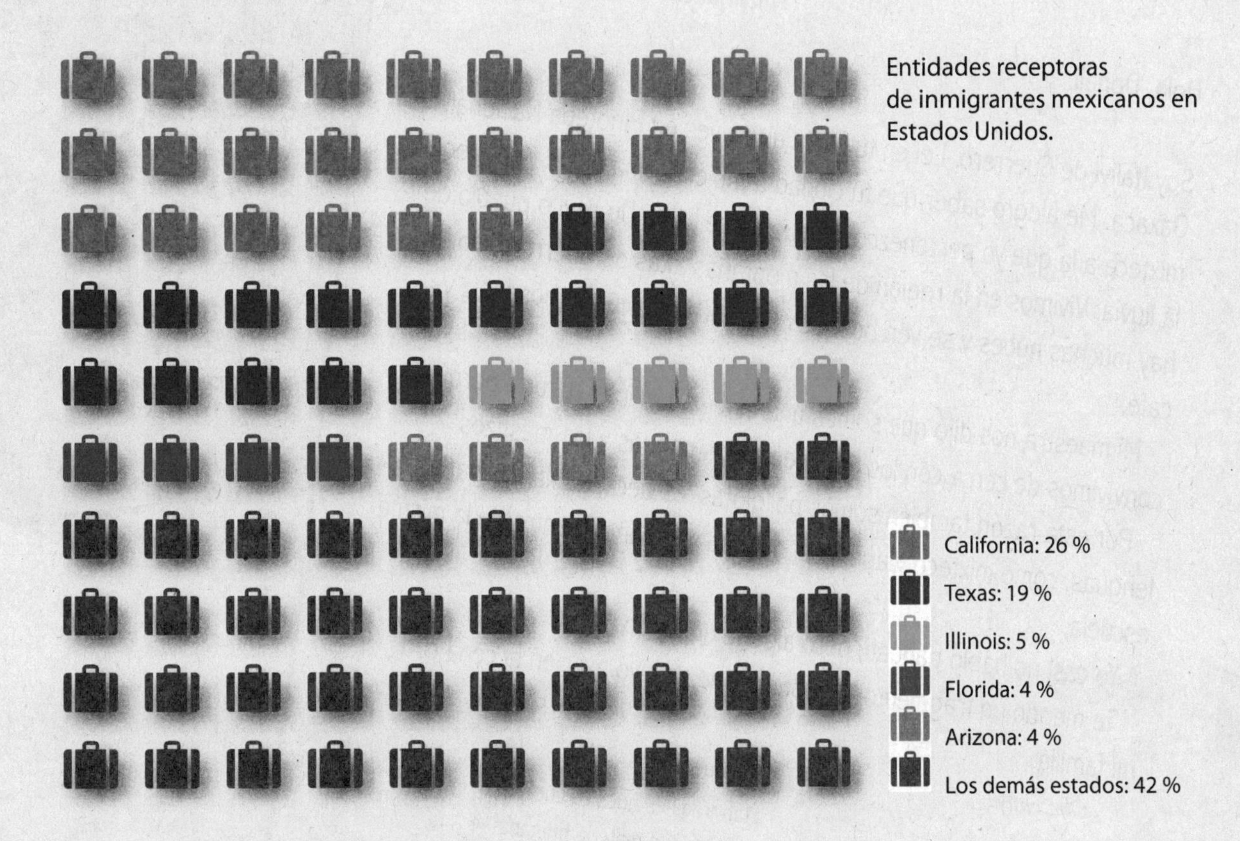

Con la información de la representación anterior y con lo que acabas de leer en la lección, colorea en el mapa del anexo, página 192, las principales entidades expulsoras de población hacia los Estados Unidos y de otro color los estados receptores de migrantes mexicanos. Luego completa la simbología del mapa indicando los colores que usaste para cada información.

De acuerdo con su ubicación:

- ¿Qué característica tienen en común los estados receptores del país vecino?
- ¿Tu entidad es expulsora de migrantes hacia Estados Unidos?

Entrevista a una persona que haya emigrado a Estados Unidos, pídele que te platique sus experiencias. Después, elabora un texto y preséntalo a tu grupo.

Comenta tus respuestas con tus compañeros.

Migración México-Estados Unidos

Malinaltepec, Guerrero

Hola, Donají:

Soy Italivi de Guerrero. Leí en tu carta que vives en Pinotepa Nacional, Oaxaca. Me alegró saber que tu ciudad también forma parte de la región mixteca a la que yo pertenezco. Mi pueblo se llama Uu savi o pueblo de la lluvia. Vivimos en la región de las montañas altas de Guerrero, donde hay muchas nubes y se ven bosques entre los que cultivamos maíz y café.

Mi maestra nos dijo que somos una comunidad intercultural porque convivimos de cerca con los tlapanecas, los nahuas y los mestizos.

Por esta razón también somos políglotas, es decir, hablamos varias lenguas, como mixteco, tlapaneco, náhuatl y español, dentro de la misma escuela.

Yo casi no hablo náhuatl, pero algo le entiendo.

Te mando un fragmento del poema que se leyó ayer en la cena con mi familia.

Cha cuuyo	Lo que somos
Cha cuuyo	tan frágil es nuestro cuerpo,
Cuñuyo, io cu'ee cuu'chi,	que siendo materia humana
cha materia cuuyo	se convierte en nada,
ñani cha naduichi;	e inmortales nuestros
do'o cha saxinio	pensamientos
do'o dii recuerduyo.	ay de éstos
	que sólo quedan recuerdos.

Muchos saludos desde mi montañoso y bonito lugar.

Italivi

◈ En el estado de Guerrero hay distintos pueblos indígenas que, de generación en generación, aprenden a hacer artesanías, como los huipiles amuzgos.

◈ Mujeres de Acatlán, Guerrero.

LA CULTURA EN MÉXICO

❖ Con el estudio de esta lección identificarás la diversidad cultural de la población.

Comencemos

Como bien dice Italivi, muchos de los grupos indígenas de México son políglotas o al menos bilingües, pues conservan su lengua materna, como el mixteco, y además han aprendido a hablar español para comunicarse con los mestizos.

La lengua que hablamos es una manera de expresar cómo vemos el mundo.

Investiga palabras de origen indígena y eméntalas en grupo.

Actividad

Busca algún poema, leyenda o canción indígena que, por lo que dice o por cómo suena, te guste y escribe un fragmento en tu cuaderno. Puedes preguntar a tus abuelos o familiares y consultar algunos Libros del Rincón de la Biblioteca Escolar, por ejemplo, *Los hilos que nos tejen*, *El mensajero del cuervo o Jorna* y *El horno*.

En grupo, seleccionen algunos fragmentos e identifiquen si tienen semejanzas en cuanto a lo que expresan o al ritmo que llevan. Definan si son expresiones de una forma de vida urbana o rural.

Aprendamos más

Herencia indígena

México es una nación formada por diversos grupos étnicos, es decir, grupos de personas que comparten elementos culturales como lengua, religión o historia. Los indígenas tienen tradiciones que practican desde hace muchos años, antes de la llegada de los españoles, y las conservan de una generación a otra, aunque se mezclan con otras tradiciones.

¿Cuáles tradiciones aprendieron tus padres de sus abuelos y aún practican?

La lengua, la vestimenta, algunas ceremonias, rituales, creencias, platillos y la arquitectura son parte de esas tradiciones que expresan la cultura o visión de cada grupo.

◈ México es un país en el que se han mezclado tradiciones y culturas, lo que le brinda una riqueza cultural que nos permite estar en contacto con las formas de expresión que tiene la gente.

Un dato interesante

El "tequio" es una forma de trabajo comunitario creado en la época prehispánica que aún se practica en comunidades rurales. Consiste en que la comunidad realice jornadas de trabajo gratuitas para el mantenimiento y la construcción de obras públicas como calles, iglesias o para la construcción de clínicas.

En nuestro país se reconocen más de 60 grupos indígenas, todos con lengua propia, tradiciones muy particulares y una distribución territorial variada, pues habitan en las selvas, en los bosques montañosos o en las regiones desérticas de nuestro país. Están concentrados sobre todo en el sur, sureste y centro del país, aunque también existen algunos en el norte, como los rarámuris (taraumaras) y O'odham (pimas).

¿Cuáles son los grupos étnicos que habitan en tu entidad y qué lenguas hablan?

Al final de esta lección, harán una estampa de algún grupo indígena del país, para ello es necesario que comiencen a investigar acerca de las manifestaciones culturales de los grupos indígenas, tales como su vestimenta, alimentación, fiestas y rituales. Registren sus hallazgos, pues los van a utilizar al concluir la lección.

Exploremos

En parejas observen el mapa y la gráfica de lenguas indígenas de su *Atlas de México*, en la página 35. Anoten en su cuaderno, en forma de lista, las 10 lenguas más habladas y abajo las tres menos habladas. Después, escriban a la derecha cada entidad en donde se hablan y resalten con color los tres estados que más se repitan.

Ahora observen el mapa de población de habla indígena en la página 34 de su *Atlas de México* y anoten en su cuaderno los tres estados con mayor población de estos hablantes.

Tomando en cuenta los mapas anteriores, respondan en su cuaderno:

- ¿En qué estado hay mayor variedad de lenguas indígenas?
- ¿En qué estado hay mayor población que habla una lengua indígena?
- ¿Coincidieron los estados que ustedes identificaron en el cuadro con los que identificaron en el mapa?, ¿por qué?

Comparen el mapa de Población de habla indígena con el de Alfabetismo, página 32, y el de Instrucción posprimaria, página 33 de su *Atlas de México* y respondan en su cuaderno:

- ¿Cuáles de las tres entidades con mayor población de habla indígena tienen menor alfabetismo y menor instrucción posprimaria?

En grupo comenten qué les dice la información anterior acerca de las condiciones de vida de los grupos indígenas.

Pueden buscar imágenes e información sobre las características de aquellos grupos indígenas de nuestro país que practican las cinco lenguas más habladas y las tres menos habladas. Tráiganlas a la escuela. Las imágenes y la información pueden ser sobre trajes, alimentos típicos, tradiciones y costumbres.

La mayoría de los grupos indígenas vive en zonas rurales, practican la agricultura, la ganadería y el aprovechamiento de los bosques, pero son los grupos de población más marginados de nuestro país.

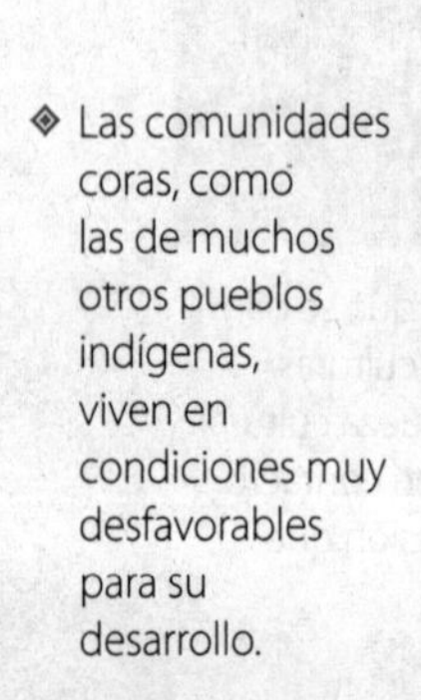

Las comunidades coras, como las de muchos otros pueblos indígenas, viven en condiciones muy desfavorables para su desarrollo.

Culturas mixtas

◈ El simbolismo histórico también está presente en alimentos como el chile en nogada, que contiene los colores de la bandera nacional.

Muchas de nuestras tradiciones y costumbres son herencia de nuestros antepasados y combinan las influencias culturales que ocurrieron y ocurren a lo largo de la historia del país. Por ejemplo, alimentos como los chiles en nogada expresan la combinación de sabores y saberes de origen indígena (el chile poblano) y mestizo (la nuez de Castilla y la granada andaluza, traídas de España y cultivadas en México). Además se relacionan con una época particular del año (agosto-septiembre), cuando se celebra la Independencia de México y cuando la nuez y la granada se cosechan en las regiones semidesérticas del país, como Valle del Mezquital, en Hidalgo.

La combinación de prácticas culturales entre grupos étnicos también se observa en las ciudades. Dentro de éstas, conviven entre sí mestizos, indígenas y grupos de origen extranjero (españoles, afroamericanos, asiáticos). Los mestizos, así como los indígenas, se subdividen en muchos otros grupos que se distinguen por la religión que practican, por los barrios o colonias que habitan, por el tipo de labor que desempeñan o por sus expresiones culturales, como la música.

En las ciudades también se han formado las llamadas tribus urbanas, que son grupos de personas, sobre todo jóvenes, identificados por una actividad, un tipo de música, una vestimenta e incluso por una forma de hablar muy particular.

Algunas de estas tribus urbanas son los *darks*, los *rockeros*, los *hip-hoperos*, los *punks* y los *skaters*.

Comenta con el grupo si conoces algunas de estas tribus y qué opinas sobre su comportamiento.

◈ En la diversidad de las culturas que hoy conviven en México podemos encontrar expresiones que identifican a sus autores como miembros de un grupo particular.

Actividad

En grupo comenten las tradiciones que aprendieron de sus abuelos y que ustedes aún practican. Traten de identificar aquéllas de origen indígena, mestizo o extranjero.

Apliquemos lo aprendido

Consulta en...

La página Ventana a mi comunidad en http://ventana.ilce.edu.mx; en ella encontrarás cómo podemos promover una educación intercultural.

Con ayuda de su maestro y con la información que recabaron acerca de los grupos indígenas del país, escriban en varias hojas el nombre de los estados en los que hay grupos indígenas y en otra hoja dibujen o peguen ilustraciones de las manifestaciones culturales de esos grupos. Después, formen dos equipos, uno tendrá las hojas con los estados y el otro las imágenes.

Cada uno deberá pegarse en el pecho la hoja con el nombre de la entidad o el grupo étnico que le tocó, de tal manera que pueda ser vista por los demás.

Cada equipo formará un círculo, uno dentro del otro, de modo que sean concéntricos.

Cuando el maestro lo indique, ambos equipos caminarán en círculo, uno en sentido opuesto al otro. Mientras caminan buscarán el estado o grupo indígena que les corresponde: si tienen imagen, ubicarán el estado al que pertenece, y si tienen el nombre de una entidad, tratarán de encontrar el grupo indígena correspondiente.

Al momento de encontrar a su pareja, harán una estampa, es decir, una descripción ilustrada del grupo indígena. Para ello, elijan y denle nombre a un personaje que represente a ese grupo indígena. Éste relatará las características culturales de su pueblo y las características naturales del lugar que habita. Pueden consultar el *Atlas de México* en las páginas del estado que les corresponde. Tendrán 20 minutos para realizar esta estampa.

Ahora, ¡expongan sus estampas! Si tienen un mapa mural de México péguenlas sobre la entidad correspondiente; luego compartan su mapa con el resto de la comunidad escolar para que difundan la diversidad cultural que enriquece a este país.

◈ Puerto Vallarta, Jalisco.

Recuerden que todas estas manifestaciones enriquecen la cultura y la visión del mundo de quienes las practicamos y las compartimos, por ello son significativas y dignas de respeto.

◈ Tarahumaras, Chihuahua, México.

Lo que aprendí

Lee los siguientes textos y después realiza las actividades que se piden.

Soy Teresa y tengo tres hermanos. Donde habito hay muchas casas y mucha gente con prisa. Mi departamento está en un edificio alto. Nos levantamos a las siete de la mañana y se siente frío.

Después de desayunar fruta y leche con pan, me voy con mis hermanos a la escuela. En el camino a la parada del camión jugamos a contar, a veces las ventanas o los coches, y cuando es el recreo me gusta jugar con mi amiga Amalia a la cuerda. A veces mis papás nos llevan al cine.

Soy Gabriela, vivo al sur del país, en la sierra, donde hay muchos montes. Como a veces hace frío, me gusta tomar atole bien caliente en la mañana. Comemos platillos ricos de maíz que mi familia siembra.

Mi casa es de adobe, la hizo mi papá, luego le puso techo y un fogón para que mi mamá cocine rico. Ella sabe tejer en telar de cintura.

Para las fiestas todos ayudamos en la cocina y bailamos. Los hombres tocan música con instrumentos como la tuba, que suena fuerte.

Consideras que hay una mayor densidad de población, ¿donde vive Gabriela o donde vive Teresa?, ¿por qué?

¿Qué características originadas por la concentración de habitantes consideras que tienen los lugares donde vive Teresa?, ¿por qué?

En los lugares donde viven Gabriela y Teresa, ¿qué movimiento migratorio consideras que sucede?, ¿por qué?

Elabora tres listas: una donde escribas los rasgos culturales del lugar donde vive Teresa, otra con los rasgos culturales donde vive Gabriela, y la tercera con las características culturales de tu colonia o barrio.

Mis logros

Lee la pregunta y después selecciona la respuesta correcta.

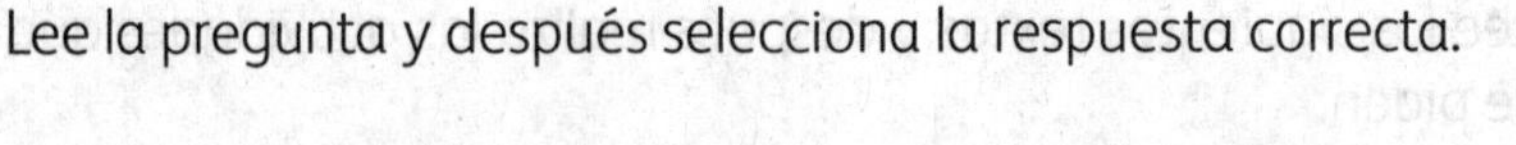

1. Para reconocer si el lugar donde vive Teresa está densamente poblado debemos saber:
   a) Cuántas personas habitan los edificios de su colonia.
   b) Cómo se distribuye la población en su ciudad.
   c) El número de habitantes y la superficie de la ciudad.
   d) Que tan lejos están las casas unas de otras.

2. El lugar donde vive Gabriela es rural porque:
   a) Hay fiestas típicas cada mes.
   b) No hay edificios y en las casas vive poca gente.
   c) Está localizado al sur del país.
   d) Siembran y elaboran alimentos de maíz.

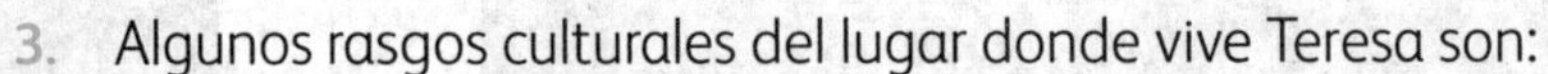

3. Algunos rasgos culturales del lugar donde vive Teresa son:
   a) Los tejidos del telar de cintura y la música que tocan con tuba.
   b) La alta concentración de población y casas.
   c) El relieve montañoso y el clima frío.
   d) Los juegos y los lugares de diversión.

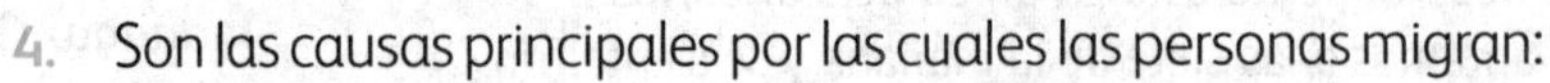

4. Son las causas principales por las cuales las personas migran:
   a) Para viajar y conocer lugares interesantes.
   b) Para buscar empleo, mejorar su situación económica, y tener mejores servicios educativos y de salud.
   c) Para visitar en el extranjero a familiares y amigos.
   d) Para hablar otro idioma y conocer a personas de otros países.

5. Son causas de que la población rural se traslade a las ciudades:
   a) La agricultura y la ganadería requieren de mucho trabajo.
   b) Los problemas ambientales en el campo.
   c) La concentración de servicios y empleos en las ciudades.
   d) Las personas en las ciudades están tan cerca que se comunican.

Autoevaluación

Es tiempo de que evalúes lo que has aprendido en este bloque. Lee cada enunciado y marca con una palomita (✓) el nivel que hayas alcanzado.

Aspectos a evaluar	Lo hago bien	Lo hago con dificultad	Necesito ayuda para hacerlo
Explico la distribución de la población en México.			
Identifico los problemas originados por las concentraciones de población.			
Distingo la migración interna de la migración externa.			
Reconozco la riqueza cultural de la población de México.			

Escribe una situación en la que apliques lo que aprendiste, hiciste e investigaste en este bloque.

____

____

Aspectos a evaluar	Siempre	Lo hago a veces	Difícilmente lo hago
Reconozco los problemas originados por la concentración de la población.			
Adquiero conciencia de los problemas que enfrentan los migrantes de mi país.			
Aprecio las culturas y tradiciones de los grupos étnicos de México.			

Me propongo mejorar en: ____

AUDIO & VIDEO
COMPROMISO
HOME MART
CAT
TASQUEÑA
V400 SA

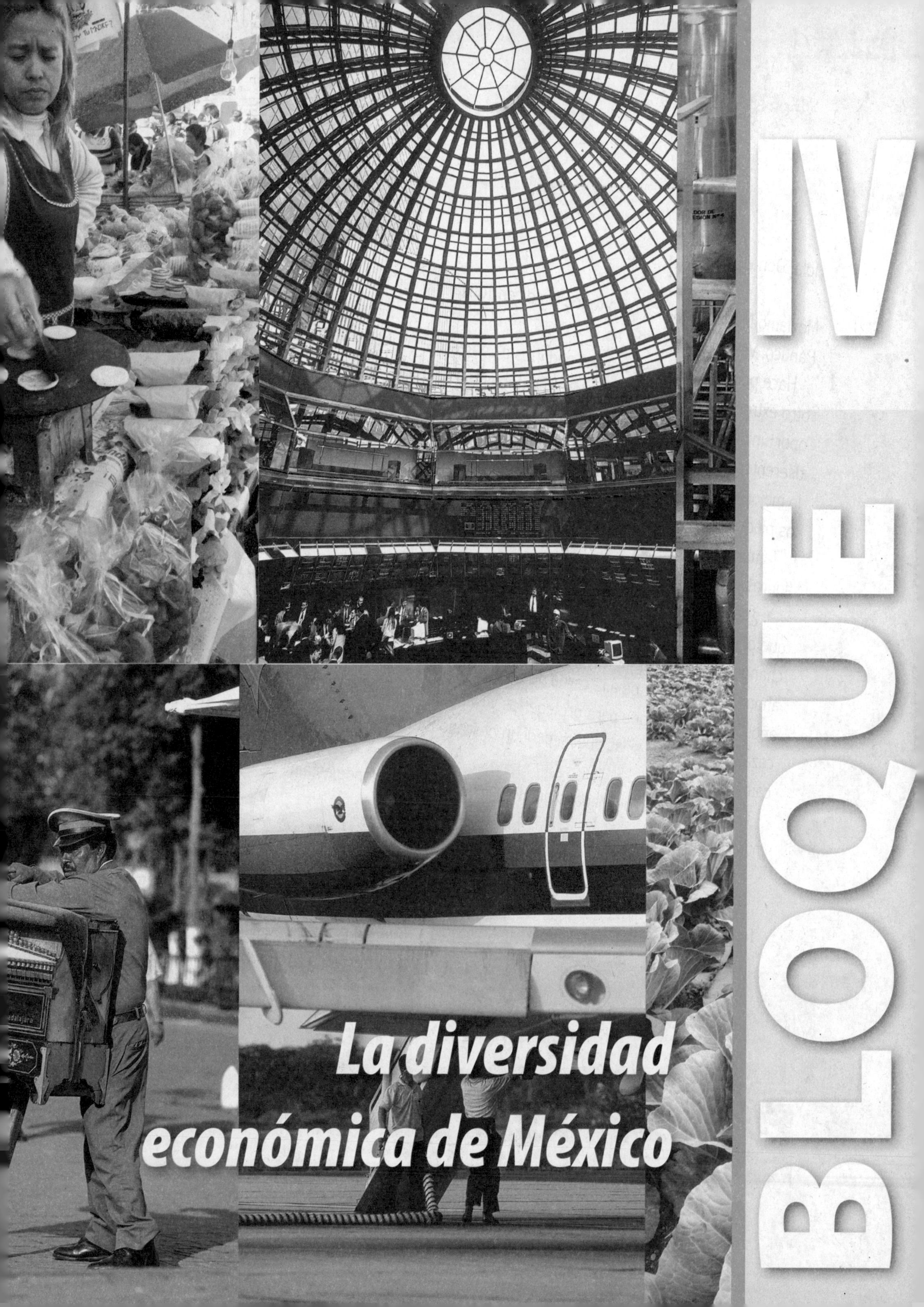

BLOQUE IV

La diversidad económica de México

Pánuco, Veracruz

Hola, Donají:

Me llamo María Antonieta, pero todos me dicen Toñita. Vivo en la ciudad de Pánuco, Veracruz, cerca del río.

Hace poco fuimos a visitar a mis padrinos a Coatzacoalcos. Como viven al otro extremo del estado, recorrimos en autobús todo Veracruz y tuvimos la oportunidad de ver distintos paisajes, con campos de cultivo y huertas de diferentes tipos de alimentos. Había cañaverales y también naranjales. Pero lo mejor fue cuando cruzamos los montes y disfruté el aroma de la leña de los pinos.

También pasamos por Xalapa y en un poblado compramos quesos, café y figuras de madera.

Y, ¿qué crees?, cuando llegamos a Catemaco entramos a un restaurante que ofrecía carne de chango en su menú. ¡Casi me desmayo, pobres changos! Pero mi papá me explicó que así le llaman al guisado de cerdo ahumado, porque sabe a la carne de chango que se comía allí hace muchos años. Lo bueno es que para protegerlos y evitar su extinción está prohibido cazarlos; pero, por si las dudas, pedí un pescado frito y un coctel de camarones.

Te envío una foto del ganado en el norte de Veracruz, donde está mi municipio.

Espero que me escribas y me mandes fotos de Oaxaca.

Toñita

◈ Ganado del norte de Veracruz.

◈ El estado de Veracruz ocupa una franja costera del Golfo de México muy fértil para la agricultura y la ganadería. Además, tiene puertos muy importantes y muchos atractivos turísticos.

DIVERSAS ACTIVIDADES, DIVERSOS PRODUCTOS

❖ Con el estudio de esta lección podrás localizar las actividades agropecuarias, pesqueras y forestales en México.

Comencemos

En su viaje hacia Coatzacoalcos, Toñita describió diferentes regiones y los productos característicos de cada lugar. Comenta con tus compañeros la o las actividades que realizaban las personas de los lugares por donde pasó.

◈ Producción pesquera en el lago de, Pátzcuaro, Michoacán.

◈ Producción pecuaria.

◈ Producción agrícola, en Veracruz.

◈ Producción forestal en Alaska.

Actividad

A continuación encontrarás los productos que Toñita mencionó en su carta. Sobre cada línea escribe el tipo de actividad productiva a la que corresponden.

Ahora, busca el significado de las palabras: "agrícola", "pecuario", "pesquero" y "forestal", y escribe tu propia definición en el diccionario personal que elaboraste en la asignatura de Español.

Con esa información, en grupo revisen si las actividades productivas que anotaron en las líneas son correctas y enlisten las actividades productivas que se realizan en su entidad.

Aprendamos más

En México se llevan a cabo diferentes actividades económicas para obtener alimentos y productos de consumo, y así satisfacer nuestras necesidades. Entre ellas se encuentran las actividades agrícolas, relacionadas con el cultivo de la tierra; las actividades pecuarias, que se refieren a la crianza de animales; las actividades forestales, dedicadas al aprovechamiento de los bosques, y las actividades pesqueras, que se ocupan de la captura y crianza de especies acuáticas. Estas actividades han ido disminuyendo, ya que actualmente sólo aportan alrededor de tres pesos por cada 100 pesos que obtiene el país de todas sus actividades económicas. ¿Qué actividades productivas se realizan en el lugar donde vives?

Lo que obtenemos de la tierra

De las actividades antes mencionadas, la agricultura es la que proporciona la mayor parte de los alimentos que consumes.

La producción agrícola en México depende principalmente de las condiciones climáticas, ya que los campesinos aprovechan la temporada de lluvia para el riego de sus cultivos, por eso se le conoce como agricultura de temporada y extensiva. Abarca grandes extensiones de terreno, pero tiene baja producción.

En ciertas áreas, sobre todo en climas secos, la agricultura depende de sus sistemas de riego, lo que permite que pueda cultivarse en diferentes épocas del año. Emplea, además, maquinaria y tecnología que aumenta la producción. A este tipo de agricultura se le conoce como agricultura de riego o intensiva.

Los productos más importantes que se cultivan en México son los cereales, las leguminosas, las hortalizas y las frutas.

Los cereales son granos o semillas que se emplean para la alimentación humana. El más importante en nuestro país es el maíz, porque se puede sembrar en casi todos los climas, altitudes y suelos. Además, su cultivo dura tres meses, se almacena con facilidad y se conserva por largo tiempo.

✣ Un dato interesante

El frijol y el maíz representan para México los dos cultivos de mayor importancia económica, ya que abarcan más de la mitad de la superficie sembrada en su territorio.

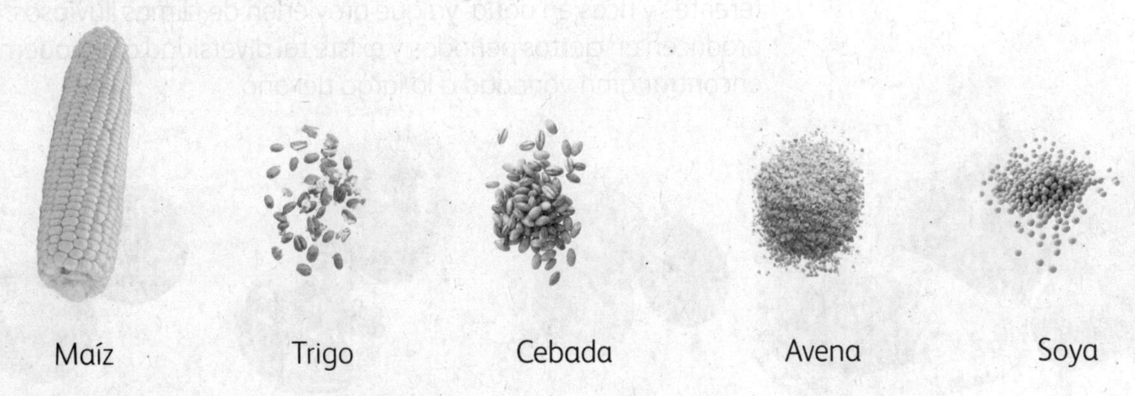

Maíz Trigo Cebada Avena Soya

Las leguminosas son plantas de las que se obtienen frutos alargados o vainas que contienen semillas. La más importante en México es el frijol, que constituye el alimento de mayor consumo después del maíz y se encuentra en todas las regiones agrícolas del país.

Frijol Garbanzo Chícharo Haba Lenteja

Por su parte, las hortalizas son plantas cultivadas en terrenos de riego al aire libre llamados huertos o en invernaderos y junto a las casas.

Tomate rojo

Rábano

Lechuga

Papa

Espinaca

Finalmente, otro alimento proveniente de la agricultura es la fruta, de la cual se producen diversos tipos según el clima. En México se producen desde las templadas, como la manzana y el durazno; las desérticas, como la granada y la tuna, y destacan las frutas tropicales, de regiones con clima cálido y húmedo, como la papaya, la sandía, la piña y el mango, de sabores y colores diferentes y ricas en agua, ya que provienen de climas lluviosos. Se producen en ciertos periodos y existe tal diversidad que podemos encontrar gran variedad a lo largo del año.

Papaya

Guayaba

Granada

Naranja

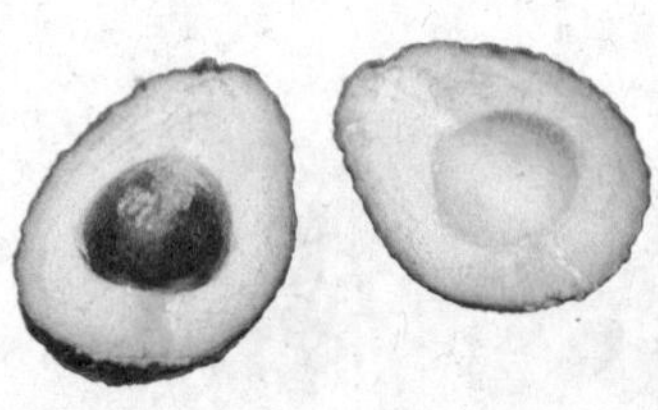

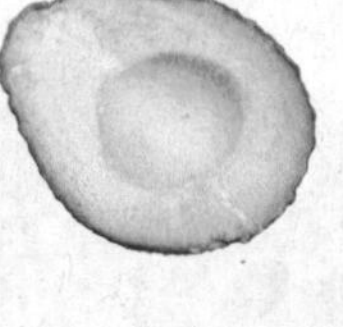

Aguacate

Chirimoya

Limón

Coco

Para una correcta alimentación, se requieren los diferentes productos agrícolas que acabas de ver. Los cereales, transformados en pan, sopas o tortillas, te proporcionan energía; las leguminosas, por su contenido de proteínas, contribuyen a tu crecimiento; las hortalizas y las frutas te proporcionan agua, azúcares, minerales y vitaminas.

Actividad

En grupo elaboren un mapa mural de producción agrícola de México. Para ello formen cuatro equipos; cada uno elegirá un grupo de alimentos agrícolas e identificará en la siguiente tabla las entidades que tienen mayor producción de ese grupo y los productos que más cultivan. Dibujen en una hoja, un símbolo que represente cada uno de los productos y recórtenlos. Coloquen sus ilustraciones en las entidades correspondientes.

Producción agrícola*

Grupos	Producto	Entidades con mayor producción
Cereales	Maíz	Jalisco, Veracruz, Chihuahua
	Trigo	Sonora, Guanajuato, Baja California
	Arroz	Campeche, Veracruz, Morelos
Leguminosas	Frijol	Zacatecas, Durango, Sinaloa
	Garbanzo	Sinaloa, Sonora, Baja California Sur
Hortalizas	Tomate rojo	Sinaloa, Baja California, Michoacán
	Papa	Sinaloa, Sonora, México
	Chile verde	Sinaloa, Chihuahua, Zacatecas
Frutos	Naranja	Veracruz, Tamaulipas, San Luis Potosí
	Limón	Colima, Michoacán, Veracruz
	Plátano	Chiapas, Tabasco, Veracruz
	Mango	Sinaloa, Guerrero, Nayarit

* Inegi.

Piña

¿Cuáles de estos productos consumes más?, ¿por qué?

Coméntalo con tus compañeros.

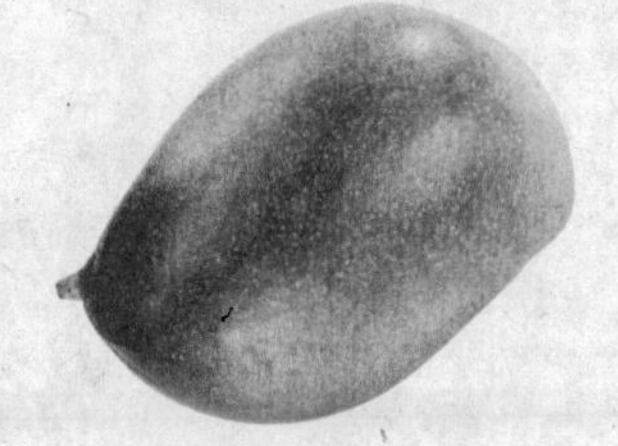

Mango

Plátano

Sandía

◈ Ganadería extensiva.

Carne y más carne

La ganadería es otra actividad económica; consiste en criar animales, es decir, en cuidarlos y alimentarlos para después consumirlos como alimentos, por ejemplo, la carne, el queso y la leche, entre otros. En México, las actividades relacionadas con esta producción son: cría de aves (avicultura), vacas y toros (ganado bovino), cerdos (ganado porcino), cabras (ganado caprino) y ovejas (ganado ovino), además de la apicultura o crianza de las abejas para obtener miel.

Estos animales pueden ser criados de diferentes formas: en terrenos grandes con el ganado pastando libremente (ganadería extensiva), en establos o granjas donde se utiliza la tecnología para una mayor producción (ganadería intensiva), y en las casas, con el fin de obtener alimentos para el consumo diario (autoconsumo).

◈ Ganadería intensiva.

◈ Ganadería de autoconsumo.

Exploremos

Consulta la página 50 de tu *Atlas de México*. Observa la gráfica y anota en tu cuaderno los tipos de ganado que más se producen en el país. Identifica en el mapa las entidades con mayor producción ganadera.

Con el apoyo de tu maestro lean en grupo la siguiente afirmación y comenten si están o no de acuerdo y por qué.

En Sonora se practica principalmente la ganadería extensiva, mientras que en el centro del país predomina la ganadería intensiva.

A diferencia de la ganadería, en el país, la actividad pesquera se encuentra poco desarrollada a pesar de la extensión de sus litorales, lagunas costeras, lagos y presas que lo hacen rico en recursos. Pero la captura de peces es desigual; así como hay especies comestibles que no se capturan, hay otras que se pescan en enormes cantidades, como el camarón o el atún y están sobre-explotadas. Se requiere de otras formas de producción, como la acuicultura, que es una técnica de cultivo de especies vegetales y animales acuáticas, como la crianza de mariscos, que además permite incrementar las especies que han disminuido.

◈ Granja acuícola de truchas en los azufres, Michoacán.

Trabajando en el bosque

La actividad forestal consiste en la plantación, renovación y corte de árboles maderables, acciones importantes para la conservación del bosque. De ésta se obtienen productos como la madera, el corcho, que es la corteza de cierta especie de árbol, el hule, el chicle y las resinas.

En México se explotan diversas especies maderables, en especial el pino. En Sonora y Coahuila existen árboles que por su dureza y color tienen un alto valor comercial, mientras que en las costas destacan las especies maderables de clima tropical, entre ellas la ceiba y el chicozapote.

◈ Nuestro país cuenta con diversas especies maderables a lo largo del territorio. En el norte del país abundan las coníferas y en el sur encontramos maderas tropicales como la ceiba.

◈ Nevado de Toluca, Estado de México.

Actividad

En equipo, realicen la siguiente lectura.

Comunidad indígena de Nuevo San Juan Parangaricutiro

La empresa más sobresaliente de San Juan es la cooperativa forestal Comunidad Indígena de Nuevo San Juan Parangaricutiro, Michoacán. Gracias a su buena organización, la cooperativa ha creado muchos empleos y diversificado sus actividades, ya que además de producir madera aserrada se dedica a la producción de astilla de pino y encino; muebles, duelas y molduras; tarimas de pino y cajas de empaque, así como a la de derivados no maderables, entre ellos: brea, aguarrás y aceite de pino.

La comunidad trabaja en equipo para conservar su bosque. Para ello, cada trabajador realiza una actividad específica: trabajar en el aserradero, en las huertas de pino, en el bosque haciendo podas, en algún semillero, incluso en la purificadora de agua embotellada.

Además, todos realizan guardias para prevenir o combatir incendios forestales. Estas acciones contribuyen a la obtención de mejores productos de consumo.

Comenten por qué esta cooperativa es una empresa sobresaliente. Identifiquen en la página 48 de su *Atlas de México*, el lugar que ocupa Michoacán en la producción forestal y qué otras entidades sobresalen en esta actividad.

En grupo, anoten en su cuaderno una lista de las acciones que se pueden llevar a la práctica para evitar la pérdida de bosques y, con el apoyo de su maestro, intercambien sus opiniones.

Apliquemos lo aprendido

En el mercado, la carnicería o el tianguis, investiga cuáles de los productos agropecuarios y pesqueros que ahí se venden son originarios de la entidad donde vives y cuáles son traídos de otras entidades o países. También pregunta si son más caros los productos que provienen de otros lugares. Anota los resultados de la investigación en tu cuaderno y comenten en grupo la importancia de las actividades agropecuarias, pesqueras y forestales para la alimentación y la industria.

El envasado de productos agropecuarios y pesqueros nos permite comer algunos alimentos que sólo se obtienen en cierto periodo del año o se producen en regiones distantes del país.

Elaboren conservas con algún fruto u hortaliza del lugar donde viven. Investiguen el procedimiento en el bloque III de su libro de Ciencias Naturales y con sus familiares o conocidos.

Consulta en

Consulta la página de Internet http://www.conanp.gob.mx/difusion/cds.php, activa difusión e información, videos, bosques en videos de 5 minutos, para que te informes a cerca del cuidado del bosque.

Iglesia sepultada durante la erupción del volcán Paricutín, en 1943, en Nuevo San Juan Parangaricutiro, Michoacán.

Saltillo, Coahuila

Donají, ¿cómo estás?

Me llamo Daniela y vivo en Saltillo, Coahuila, una ciudad muy bonita. Te quiero contar que el año pasado descubrimos, en la escuela, que nuestro estado tiene muchos tesoros: aquí se encuentran los yacimientos de carbón más grandes de México, con él las plantas termoeléctricas generan una décima parte de la electricidad que se utiliza en el país; también, en Monclova, se encuentra la planta siderúrgica con mayor producción de acero y tenemos el Museo del Desierto, que es muy bonito y moderno, en él se exhiben los restos fósiles de dinosaurios que se han descubierto en Coahuila, pues aquí es donde se han encontrado más.

Bueno, Donají, me despido. Espero que me escribas pronto y me cuentes qué tesoros tiene tu entidad.

Te mando dos fotografías, hasta pronto.

Daniela

Coahuila es un estado con grandes riquezas minerales como el carbón, que le permiten producir mucha energía.

T-Rex, Museo del Desierto, Saltillo, Coahuila.

LOS TESOROS DE MI PAÍS

❖ Con el estudio de esta lección identificarás los principales lugares de extracción de minerales metálicos, no metálicos y energéticos para la industria.

Comencemos

Daniela escribió sobre las riquezas minerales de Coahuila, de donde se obtienen energéticos y productos para la industria.

¿Cuáles son los tesoros que hay en tu entidad?

Actividad

Investiga en un diccionario el significado de la palabra "mineral" y anótalo con tus palabras en el diccionario personal que elaboraste en la asignatura de Español. Después, observa las imágenes y comenta con tu maestro y compañeros de clase para qué se utilizan los siguientes minerales.

Carbón

Plata

Oro

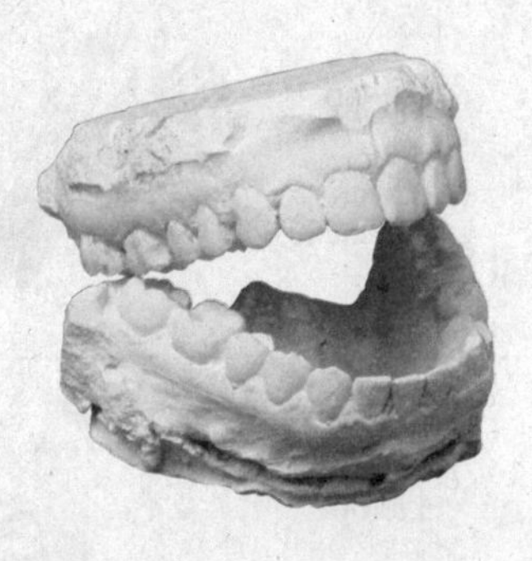

Yeso

Sal

Aprendamos más

◈ La extracción de los diferentes minerales de sus yacimientos, así como su transformación en productos útiles, muchas veces requieren de tecnología especial y de costosos procesos industriales.

Los minerales

La minería es una actividad económica primaria, ya que los minerales se extraen directamente de la naturaleza, de lugares llamados yacimientos que se encuentran al aire libre o en el subsuelo, a diferentes profundidades.

Según su utilidad y sus características, los recursos mineros se clasifican en minerales metálicos, minerales no metálicos y energéticos.

Clasificación de los recursos mineros

Metálicos		
• Son brillantes al pulirse.	**Preciosos** Tienen alto valor económico y son escasos en la naturaleza.	Oro Plata
• Sirven para obtener metales.	**Siderúrgicos** Importantes para la elaboración de acero.	Carbón Fierro Manganeso
• Son buenos conductores de calor y electricidad.	**Industriales no ferrosos**	Plomo Cobre Zinc Molibdeno

Clasificación de los recursos mineros

No metálicos		
• No son brillantes al pulirse. • No conducen electricidad. • No sirven para obtener metales.	Azufre Barita Fluorita Grafito Sal Yeso	
Energéticos		
• Son usados para obtener energía que se aprovecha para el funcionamiento de automóviles, la generación de electricidad y la industria.	Petróleo Carbón Uranio	

Los minerales más extraídos son el oro, la plata, el cobre, el zinc y el fierro.

De los recursos energéticos, el más explotado es el petróleo, que se utiliza, entre otras cosas, para la producción de combustibles, para el transporte y la industria; además es la materia prima de productos como telas y objetos de plástico.

Cabe mencionar que la mayor parte de la producción de petróleo, la exportamos a Estados Unidos, pero también a España, Antillas Holandesas, Canadá, India, Centroamérica, Portugal, Gran Bretaña e Israel. Por ello, México ocupa el lugar 14 en el mundo por su producción de petróleo; sin embargo, las reservas que aún tiene le durarán sólo 10 años más.

Respecto al carbón, México es de los pocos países latinoamericanos con yacimientos de este recurso energético. La única zona productora se localiza en el noreste de Coahuila, cerca de las ciudades de Piedras Negras, Sabinas, Nueva Rosita y Múzquiz. Debido a que el carbón posee un elevado poder calorífico es utilizado en la planta de Nava, en Coahuila, para generar la energía eléctrica que abastece el noreste de México, y en menor medida se exporta a Estados Unidos y China. También se utiliza para producir acero.

Finalmente, el uranio es un mineral radiactivo que se usa como combustible nuclear para producir energía eléctrica. En Veracruz se encuentra la planta nucleoeléctrica Laguna Verde, mientras que en Chihuahua y Nuevo León se localizan los principales yacimientos de este mineral.

Exploremos

Observa los mapas de las páginas 54 y 56 de tu *Atlas de México* y responde en tu cuaderno:

- ¿En cuáles entidades se explota la mayor cantidad de minerales metálicos?
- ¿En cuáles no hay explotación de minerales metálicos?
- ¿En cuáles entidades se explota la mayor cantidad los minerales no metálicos?
- Dentro de los energéticos, ¿cuál es la región en la que hay una mayor producción de petróleo?

Compara tus respuestas con las de tus compañeros.

Organizados en equipos, investiguen qué minerales y energéticos se explotan en su entidad y qué productos de los que usan diariamente se elaboraron con ellos.

Un dato interesante

En México, la extracción y distribución del petróleo y gas natural están a cargo del gobierno federal a través de la empresa Petróleos Mexicanos (Pemex).

La industria transforma los minerales y otras materias primas en productos que utilizas. A esta industria se le llama manufacturera. Está compuesta por empresas pequeñas como las tortillerías y panaderías, hasta grandes fábricas, como las armadoras de automóviles, fábricas de juguetes, embotelladoras de refresco, empacadoras de alimentos, entre otras.

Carbón mineral, entre otras cosas, se usa como combustible para generadores eléctricos.

Pellets de dióxido de uranio, usados como combustible para reactores nucleares.

Exploremos

Observa el mapa y la gráfica de la página 57 de tu *Atlas de México*, localiza tu entidad y la producción que tiene, después, en tu cuaderno contesta las siguientes preguntas:

¿Qué entidades tienen mayor producción manufacturera? ¿Qué entidades aportan menos en esta industria?

Investiga qué industrias manufactureras hay en tu entidad y presenta tu trabajo al grupo.

Apliquemos lo aprendido

Consulta en...
Para que sepas quiénes extraen los minerales en México y otros datos interesantes, consulta la página electrónica http://www.coremisgm.gob.mx, Geología para niños, del Servicio Geológico Mexicano.

Observa el proceso de elaboración del siguiente producto. Anota en las líneas un texto que lo describa y comenta con tus compañeros cuál es su utilidad. Entre todos, identifiquen a qué tipo de mineral corresponde la materia prima del producto.

1 ______________________________

2 ______________________________

3 ______________________________

Investiga el proceso de elaboración de algún otro producto, descríbelo mediante dibujos en tu cuaderno y explícalo a tus compañeros.

La Paz, Baja California Sur

Hola, querida Donají:

Soy Jazmín y te escribo desde Baja California Sur, un estado que está muy lejos del tuyo. Como vivo en La Paz, pegadita al mar, cuando salgo de la escuela camino por el malecón del puerto donde hay hoteles y muchos comercios. Después de hacer la tarea, me gusta ir a la playa a ver los atardeceres llenos de tonos rojizos que tiñen el cielo y se reflejan en el mar.

Mi abuelo me contó que hace muchos años llegaron aquí piratas que navegaban por las rutas comerciales, con el fin de robar a otras naves, algunos enterraban sus tesoros en las playas. Incluso hay una playa que se llama Tesoro, donde se cree que todavía hay joyas y perlas enterradas.

Pero los atardeceres, el mar y las leyendas no son lo único que atrae turistas a mi estado, también les gusta el paisaje desértico, las pinturas rupestres, las iglesias de los misioneros y los mariscos, que son muy ricos. Mi ciudad, Cabo San Lucas, y San José del Cabo son los principales lugares donde vienen las personas de vacaciones, aquí se organizan recorridos para conocer otros bellos lugares como Mulegé, Todos Santos, Loreto, San Ignacio y muchos más que ojalá pudieras visitar algún día.

Para que te animes te mando dos fotos. Espero que respondas pronto y me envíes fotos de tu ciudad. Muchos abrazos.

Jazmín

◈ Baja California Sur es un estado que ha aprovechado sus recursos naturales para impulsar el turismo, por lo que recibe muchos visitantes de todo el mundo.

◈ Atardecer en Baja California.

COMERCIO Y TURISMO

❖ Con el estudio de esta lección explicarás la importancia del comercio y el turismo para la economía nacional.

Comencemos

Además de la agricultura, la ganadería y la minería, que generan productos básicos, existen otras actividades cuya función es comprar, vender y distribuir estos productos para que lleguen a la población.

Jazmín describió algunas actividades económicas que se realizan en su ciudad, subráyalas sobre la carta y compáralas con las de otro compañero.

Actividad

Para saber más sobre estas actividades, lee la siguiente leyenda de Baja California Sur.

El tesoro de Pichilingue

Corría el siglo XVI cuando fue inaugurada, en el año 1565, la ruta marítima Manila-Acapulco. Desde esa fecha, mil galeones (barcos) siguieron el mismo camino durante 250 años, trayendo de Asia telas de seda, artículos de jade y marfil, muebles tallados, perlas y joyas valiosas. De la Nueva España se llevaban cacao, cobre, plata y otros productos.

Este comercio entre los dos continentes despertó la codicia de potencias como Inglaterra, que permitió a piratas de su país asaltar a otros galeones. Uno de estos corsarios fue Francis Drake, quien en 1578 recorrió el litoral del Océano Pacífico atacando y saqueando barcos y puertos. El botín adquirido fue muy valioso, sobre todo por el oro y la plata que contenía.

Uno de los barcos que asaltó fue la nao Santa Fe, a la altura de Cabo Corrientes, que llevaba en su interior un riquísimo cargamento de monedas de oro, perlas y joyas. Perseguido de cerca por dos embarcaciones españolas, se dirigió al norte, rumbo a la península de California, penetró en la bahía de La Paz y se detuvo frente a la bahía de Pichilingue.

Ahí, Drake decidió esconder el tesoro, con tres hombres bajó a tierra y en la isla sepultó los cofres, no sin antes tomar las debidas referencias geográficas para su posterior recuperación.

Luego, desplegó sus velas y enfiló al sur para pasar por el estrecho de Magallanes y retornar a su patria.

Lo que fue un secreto quedó al descubierto, porque unos indios pericués, que habían llegado unos días antes a la bahía, observaron de cerca los movimientos de los piratas, aunque sin saber con certeza lo que ocultaron. Así, de boca en boca, fue transmitiéndose la noticia hasta llegar a oídos de los colonizadores españoles, quienes se apresuraron a buscar el botín.

Han pasado más de 400 años y el tesoro no ha sido encontrado.

Un dato interesante

Antes del comercio existía el trueque, que consistía en que una persona daba algo a cambio de otra cosa que necesitaba: una gallina por una medida de maíz. Con el paso del tiempo se comenzó a utilizar el cacao como moneda, posteriormente se sustituyó por las monedas de oro y plata. Actualmente se usan monedas de níquel y billetes.

Junto con un compañero responde las siguientes preguntas en tu cuaderno:

- ¿Qué actividad económica permitía el intercambio entre Asia y América?
- ¿Qué productos exportaba la Nueva España?, ¿cuáles importaba?
- ¿Por qué consideran que los marineros se arriesgarían a hacer viajes tan largos en los que se podían perder, encontrarse con piratas, enfermarse y finalmente morir?

En grupo, elaboren una definición de comercio.

Los productos como la verdura, la carne o la ropa que consumimos llegan a nosotros gracias a que existen servicios como el comercio y el transporte.

◈ En México contamos con servicios de comunicaciones y financieros de buena calidad, pero son pocos quienes tienen acceso a éstos.

El comercio, el turismo, las comunicaciones, los transportes, la educación, el trabajo que se hace en los hospitales y en las oficinas de gobierno, entre otras, son actividades consideradas como servicios que se requieren para que la población pueda mejorar su calidad de vida.

◈ Bolsa Mexicana de Valores.

El comercio como un servicio

El comercio consiste en la compra y venta de productos y servicios mediante un elemento común, el dinero y puede ser interno o externo.

El comercio interno es el que se lleva a cabo dentro del país, es decir, entre ciudades, estados y localidades.

El comercio externo se realiza con otros países. Una forma de llevarlo a cabo es crear acuerdos con distintos países para comercializar productos o servicios con algunos privilegios. Por ejemplo, el Tratado de Libre Comercio de América del Norte (TLCAN), que incluye a Canadá, Estados Unidos y México. Consiste en la importación y la exportación. La importación es el acto de comprar productos hechos en el extranjero y la exportación es la venta de productos hechos en México a otros países.

◈ Ciudad Universitaria, D.F.

Actividad

Organícense en equipos. Cada equipo elegirá una de las siguientes regiones:

- Ciudad industrial (Monterrey).
- Sembradíos (Valle del yaqui en Sonora).
- Zona minera (Zacatecas).
- Pozos petroleros (llanura costera de Campeche).
- Puerto pesquero (Guaymas).

Observen la gráfica que muestra los productos que México importa y exporta.

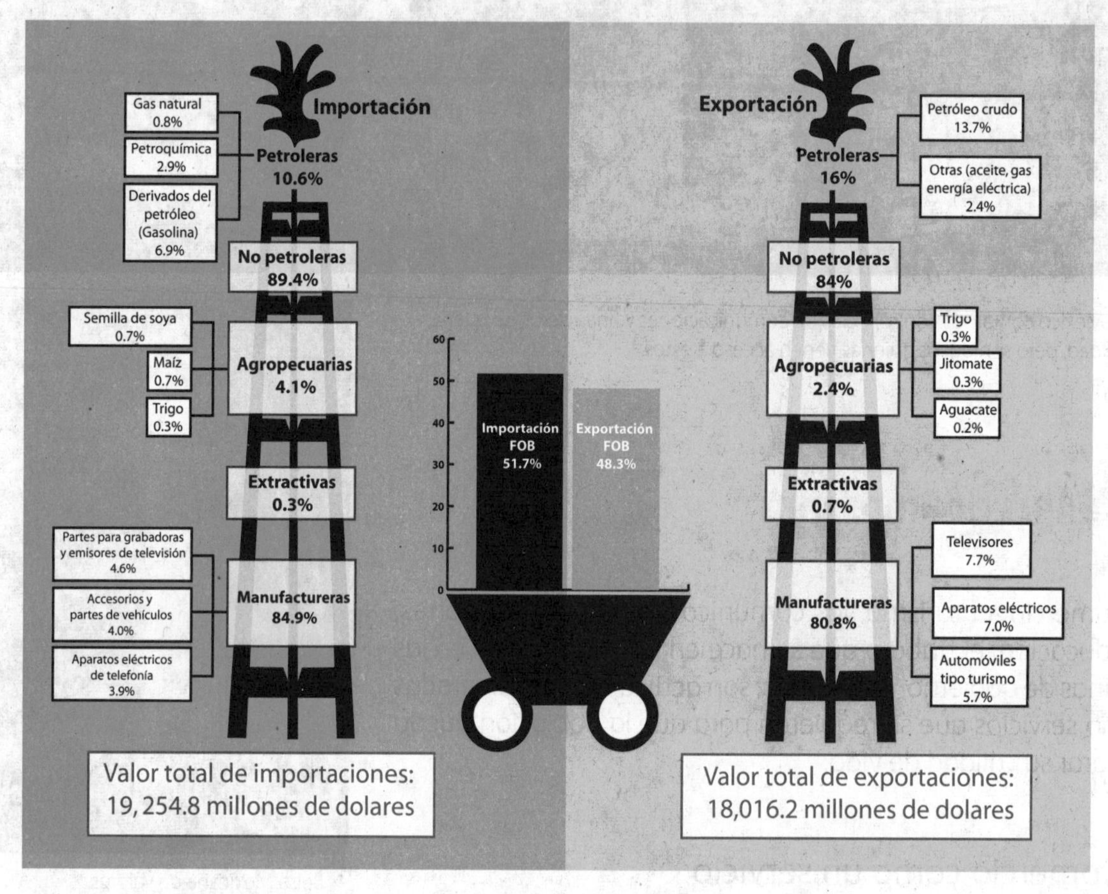

Fuente: Inegi, Estadísticas del comercio exterior de México, Preliminar, julio 2010.

Anoten en su cuaderno el tipo de productos que se mencionan en la gráfica, que su región produce y puede exportar. Incluyan una región diferente a la suya, a la que le interesaría comprárselos. También escriban los productos de la gráfica que necesitan importar y la región que puede vendérselos.

Pidan a su maestro que diga: "Es momento de... exportar", cuando esto suceda, buscarán al equipo que represente la región a la que piensan ofrecerle sus productos. Deberán convencerlos recordándoles que ellos no los producen.

Su maestro mencionará: "Es momento de... importar", entonces buscarán al equipo que represente la región a la que necesitan comprarle algún producto e intentarán convencerlo para conseguirlo.

En grupo, identifiquen los productos más requeridos y los de menor demanda. ¿A qué tipo de actividad económica pertenecen esos productos: agropecuaria, minera o industrial? Comenten:

- ¿Qué región requirió de más productos?
- ¿Qué región vendió más productos?
- ¿Qué pasaría si en México sólo se practicara la exportación y no la importación?

◈ Plataforma petrolera en Campeche.

Al comparar las exportaciones con las importaciones de un país, podemos entender aspectos importantes de su economía. Es frecuente que los países menos desarrollados exporten materias primas e importen productos terminados y servicios con tecnología agregada.

En nuestro país, el producto de exportación que genera más dinero es el petróleo crudo y el de importación en el que más gastamos es la gasolina; aunque ésta se obtiene del petróleo, no contamos con la tecnología, fábricas y laboratorios adecuados para transformarlo en gasolina, por lo que tenemos que comprarla a Estados Unidos, principalmente.

De vacaciones

El turismo es otra actividad considerada como un servicio que permite la recreación y el descubrimiento de diversos lugares culturales y naturales.

Para México constituye una de las tres fuentes de mayor ingreso económico, después de la venta del petróleo y el dinero enviado por los emigrantes (remesas). Ocupamos el lugar 14 en el mundo por el dinero que recibimos de los turistas extranjeros y el octavo respecto al número de turistas que deciden visitarnos. Lo anterior nos indica que, aunque vienen muchos visitantes, no es aquí en donde más gastan. Es el turismo nacional el que aporta los mayores ingresos.

Otras estadísticas muestran que la mayor parte de los mexicanos se emplea en los servicios, y pocos trabajan en actividades agropecuarias y forestales. Son los servicios los que generan mayores ingresos para el país.

De acuerdo con los lugares que los visitantes consideran más atractivos, el turismo se clasifica en: turismo cultural, ecoturismo, turismo de aventura (ciclismo de montaña, rafting o bajada de ríos, entre otros), turismo de playa y turismo de negocios.

◈ Refinería en Canadá.

Exploremos

Observen las imágenes de la página siguiente y anoten debajo de cada una el tipo de turismo que representa.

Formen cuatro equipos y pidan al maestro que asigne, a cada uno, un tipo de turismo (excepto el de negocios).

Dibujen en hojas sueltas los símbolos que representen los diferentes atractivos del tipo de turismo que les tocó.

Busquen en su *Atlas de México* los lugares donde pueden encontrar esos atractivos. Si son de tipo cultural, revisen las páginas 23 y 34; si corresponden a ecoturismo, consulten las páginas 22 y 15; para turismo de aventura, 12 y 14, y para el de playa, la página 41.

Anoten en su cuaderno los estados o regiones en donde se concentra el tipo de turismo que les tocó. Guarden su información para utilizarla más adelante.

◈ Cañon del sumidero, Chiapas.

◈ Tacotalpa, Tabasco.

◈ Zona arqueológica maya.

◈ Playa del Caribe mexicano.

◈ De acuerdo con la Organización Mundial de Turismo, los principales destinos turísticos de México, que captan cerca del 60 por ciento del flujo turístico extranjero, son: Campeche, Quintana Roo, Yucatán, Chiapas y Tabasco.

Muchas de las personas que se dedican a la construcción y a las actividades turísticas no han sabido respetar la naturaleza de los lugares donde las realizan y han destruido o contaminado ecosistemas en donde habitaban especies representativas de nuestro país.

El ecoturismo o turismo ecológico permite y fomenta en los turistas un conocimiento y un contacto más directo con la naturaleza, no sólo para admirarla, también para entender su dinámica y reconocer su importancia para la calidad de vida en todo el planeta.

Apliquemos lo aprendido

Como viste, en México existen muchos lugares atractivos para el turismo que incluyen elementos naturales y culturales.

Con los dibujos que hicieron sobre los tipos de turismo y la información que obtuvieron del atlas, realicen un cartel o mapa mural en grupo.

Si hacen un cartel deben mostrar la riqueza de los lugares que son atractivos para el turismo, tanto naturales como culturales, y resaltar la importancia de disfrutarlos y cuidarlos.

Si optan por el mapa mural, ubiquen los lugares turísticos del país y coloquen sus dibujos, los que representan el tipo de turismo que les tocó, en los estados y lugares donde se concentran los atractivos que localizaron en el *Atlas de México*.

En caso de que no tengan mapa mural con división política, dibujen uno sobre un pliego grande de papel y peguen sus dibujos. También pueden aprovechar el mapa de producción agrícola que hicieron en la lección 1.

Pónganle un título a su cartel o mapa mural y nombren a un representante de cada tipo de turismo para que explique al grupo en qué consisten los atractivos que investigaron.

Para terminar la lección, haz una reflexión sobre la importancia de los servicios.

Lee la nota siguiente y en grupo comenten: ¿qué pasaría con el empleo y los ingresos familiares si no existieran los servicios?

Consulta en...

Para conocer en qué tipo de servicios trabajan más hombres que mujeres, revisa la página Cuéntame del inegi. Da clic en el icono Economía y después en el subtema Sector terciario, en Servicios.

Servicios de México

En 2005, el sector económico de servicios de México representó dos terceras partes del total de ingresos obtenidos en todo el país y más de la mitad de la población empleada, sugiriendo que en los inicios del siglo XXI comienza el tránsito hacia una economía de los servicios.

◈ Cancún, Quintana Roo.

Todas las actividades económicas que estudiaste en este bloque generan empleos e ingresos, que se distribuyen y se gastan de diferente manera, como lo verás en la siguiente lección.

Cancún, Quintana Roo

¿Cómo estás, Donají?

Me llamo Mario Pech. Vivo en Cancún, Quintana Roo, pero ahora estoy con mis papás y mi hermano de visita en casa de mis abuelos, en un poblado llamado Tihosuco, de construcciones antiguas, en medio de la selva. Venimos a la fiesta del elote, que es una tradición en la que participa todo el pueblo.

A mi abuelo le gusta trabajar en la milpa, pero dice mi mamá que apenas le alcanza para alimentarse, incluso pocas veces comen carne. Por eso los hemos invitado a vivir con nosotros, pero no quieren irse porque les gusta mucho su pueblo, que, como dice mi mamá, aunque es pequeño es muy bello y lo habita gente muy trabajadora.

Mi papá trabaja en un restaurante de Cancún como jefe de meseros, pero dice que no le alcanza lo que gana. Vivimos en una casa que compró con los ahorros del Infonavit, está chiquita, pero es nuestra.

Los fines de semana mi mamá nos lleva a la playa, ¡es muy bonita!, espero que algún día puedas venir. Te envío la foto del mar de Cancún y del acuario.

Mario Pech

Mar de Cancún.

Acuario en Cancún, Quintana Roo ciudad importante que se ha desarrollado gracias al turismo.

¿CUÁNTO GANAN Y EN QUÉ LO GASTAN?

❖ Con el estudio de esta lección identificarás las diferencias económicas en México.

Comencemos

Como viste en la carta, en México hay familias que cuentan con lo necesario para vivir bien, pero hay muchas otras que todavía carecen de lo indispensable. Después de leer lo que le escribió Mario a Donaji, ¿cómo dirías que vive la familia de Mario?, ¿y la de sus abuelos?

Comenta con tus compañeros lo que opinas acerca de si cuentan con lo necesario para vivir bien

Actividad

Con la ayuda de su maestro, en su cuaderno enlisten los siguientes bienes y servicios que necesitan en su casa: alimentos, ropa, vivienda, servicios de salud, educación y transporte. Junto a cada uno, anoten el costo y la frecuencia con la que los adquieren. Calculen lo que se gastan por mes.

Suponiendo que el ingreso familiar mensual es de dos salarios mínimos ($3 240), anoten si es suficiente para cubrir los gastos que calcularon y si les alcanza para ahorrar. Comenten los resultados con sus compañeros.

Aprendamos más

¿Para cuánto alcanza?

Cada familia tiene la posibilidad de adquirir bienes y servicios, como alimentos, ropa, vivienda, servicios de salud o educativos, de acuerdo con el ingreso o salario que recibe. A esta posibilidad de comprar más o menos productos se le conoce como poder adquisitivo. Cuando en una familia disminuyen los ingresos o aumenta el costo de los productos que necesitan, su poder adquisitivo disminuye.

Con el fin de que las familias mexicanas satisfagan sus necesidades básicas de alimentación y vestido, el gobierno hizo una lista de bienes y servicios que incluyen alimentos y bebidas, ropa y calzado, vivienda, transporte, educación, servicios de salud y diversiones, a la que llama canasta básica. La suma de los precios de los productos de la canasta básica sirve como parámetro para determinar cuánto debe ser el salario mínimo que se le pague a un trabajador. Este salario mínimo equivale aproximadamente a $54.00 diarios.

De todos los productos de la canasta básica, los alimentos se consideran los de mayor importancia.

❖ El poder adquisitivo de una familia depende de sus ingresos y de los costos de los productos básicos, como alimentación, vivienda, vestido, calzado, educación y servicios médicos.

Actividad

Observa las dos imágenes que están a continuación.

◈ Alimentos $800, medicinas $400, pasajes $200, Ingreso: un salario mínimo en un mes ($1 760 aproximadamente)

◈ Alimentos $1 800, vivienda $2 200, salud $600, transporte $1 000, educación $800, ingreso: cinco salarios mínimos ($8 100)

El abuelo de Mario recibe un ingreso mensual aproximado de $1 760.00, el cual comparte únicamente con la abuela. Gasta aproximadamente $800.00 en alimentos durante un mes, $400.00 en gastos de su salud, $200.00 en transporte y no paga renta ni gastos de escuela.

¿Cuánto ahorra? ______________________________

Ahora observa lo que recibe mensualmente el papá de Mario y los gastos que tiene.

¿Cuánto ahorra? ______________________________

Contesta en tu cuaderno:

¿Quién de los dos tiene un mayor poder adquisitivo y por qué?

Según el Banco de México, en 2010 el costo de los alimentos de la canasta básica para una familia de cuatro miembros se calculaba en $2 060.00 al mes.

Según el censo de población, 45 de cada 100 personas ocupadas obtienen entre uno y dos salarios mínimos, por lo que sus ingresos resultan insuficientes para cubrir sus necesidades mínimas de alimentación.

✣ Un dato interesante

De los niños y las niñas que trabajan, uno de cada 10 recibe menos de un salario mínimo, cinco de cada 10 reciben algún pago que no sobrepasa dos salarios mínimos y cuatro de cada 10 no reciben ninguna remuneración. ¿Qué opinas de que los niños trabajen?

Actividad

Como verás a continuación, en los estados del país también se observan grandes diferencias en los ingresos de las familias.

Reúnete con uno de tus compañeros y completen el mapa de regiones económicas que está en el anexo, página 193.

Primero, en la tabla de la página siguiente identifiquen el grado de desarrollo económico de cada una de las entidades, a partir de los datos de ingreso de la población. Tomen en cuenta la simbología del mapa y coloreen cada entidad según corresponda.

Después, analicen su mapa e identifiquen la región del país con mayor número de estados con bajo desarrollo económico y la región con más entidades de alto desarrollo económico. Identifiquen su entidad y anoten sus conclusiones en el cuaderno.

Finalmente, discutan en equipo si al observar una ciudad y la forma de vida de su población se puede deducir el grado de desarrollo económico de un estado.

Campesino en el área central de México.

ver anexo

Regiones económicas de México

Escuela en la Ciudad de México.

Entidades federativas por grado de desarrollo económico		
Grado de desarrollo económico		**Entidad**
Muy alto	9 de cada 10 trabajadores reciben más de dos salarios mínimos.	Baja California
Alto	Entre 7 y 8 de cada 10 trabajadores reciben más de dos salarios mínimos.	Aguascalientes, Baja California Sur, Coahuila, Chihuahua, Distrito Federal, Jalisco, Morelos, Nuevo León, Quintana Roo, Sonora
Medio	Entre 5 y 6 de cada 10 trabajadores reciben más de dos salarios mínimos.	Campeche, Colima, Durango, Guanajuato, México, Michoacán, Nayarit, Querétaro, San Luis Potosí, Sinaloa, Tabasco, Zacatecas
Bajo	4 de cada 10 trabajadores reciben más de dos salarios mínimos.	Hidalgo, Puebla, Tamaulipas, laxcala, Veracruz, Yucatán
Muy bajo	Entre 2 y 3 de cada 10 trabajadores reciben más de dos salarios mínimos.	Chiapas, Guerrero, Oaxaca

◈ El grado de desarrollo económico de una entidad se mide tomando en cuenta el número de trabajadores, del total de la población, que ganan más de dos salarios mínimos.

Formen equipos y elaboren un *collage* sobre la desigualdad en el desarrollo económico del país. Para ello, dividan una cartulina en tres partes: en la primera coloquen ilustraciones de una entidad que tenga un alto desarrollo económico; en la segunda parte, las imágenes de un estado con desarrollo económico medio, y en la tercera las que muestren un estado con bajo desarrollo económico.

Muestren su trabajo y expresen su opinión sobre la desigualdad económica en el país.

◈ Escuela en la Ciudad de México.

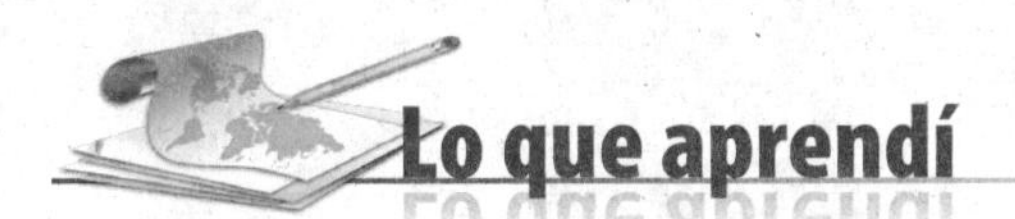

Lo que aprendí

Lee las entrevistas, anota debajo de cada una la actividad económica a la que consideres se dedican los adultos, el nombre de un estado del país donde pueden estar viviendo y las razones por las que piensas así.

Entrevista 1

Soy Emilio, vivo con mis papás, mi hermano y mi abuelita y estudio cuarto grado de primaria. Mi escuela está cerca de la casa y en las tardes jugamos en las canchas del condominio.

Mi mamá nos hace las tortas para el recreo y nos lleva a la escuela, luego ella se va en el metro a la secundaria donde da clases.

Mi papá se va temprano a trabajar, pues el hospital no está cerca y tiene que ver a mucha gente, a veces trabaja de noche.

Mi tío viene algunos sábados y juega con nosotros. Un día nos llevó a su trabajo. Él enseña a los trabajadores cómo armar y poner los motores de los coches.

Actividad económica de los adultos: ____________

____

Entidad donde vive Emilio: ____________

____

Entrevista 2

Me llamo Mariana, tengo 9 años y vivo con mis hermanos, mis papás y mis abuelitos. Mi hermano mayor se llama Fernando y no vive con nosotros, al terminar la secundaria se fue a Estados Unidos, ya tiene más de un año en Los Ángeles, pero seguido nos manda cartas y algo de dinero para mis papás, pues con la venta de granos y de animales no alcanza.

Me gusta ir a la escuela porque juego y me enseñan cosas nuevas, pero tengo que levantarme muy temprano porque el camino es muy largo, con subidas y bajadas.

De regreso me gusta ir viendo el paisaje, los cultivos, las huertas y cómo se mueven las ramas de los árboles. A mi papá casi siempre le llevan de comer a la milpa.

Luego de comer, salgo con mis hermanos a jugar a perseguir gallinas, borregos y cabras para encerrarlos y que se duerman. Después nos dormimos nosotros.

Actividad económica de los adultos: ____________

____

Entidad donde vive Mariana: ____________

____

Dibuja en tu cuaderno cómo te imaginas que es la casa y el lugar donde viven los dos niños.

¿Cuál de los dos niños pertenece a una familia con mayor poder adquisitivo? Subraya en las entrevistas los elementos que consideraste para decidir.

¿Cuál de los aspectos de la forma de vida de los dos niños consideras que genera mayor desigualdad socioeconómica entre ellos?, ¿por qué?

Mis logros

Lee los textos y después contesta las preguntas, selecciona la respuesta correcta.

¡Hola! Soy Rodrigo, vivo junto al mar en Isla Arena, en Campeche, hace mucho calor, pero siempre se siente la brisa y refresca. Aquí todos son pescadores, yo también, cuando le ayudo a mi papá. Los domingos vamos en lancha a pasear con mis abuelos y mis tíos.

Si te da calor, ¡pum!, puedes echarte un clavado en el agua y ya.

Mi tía hace cántaros de barro y los vende, mis hermanos la miran atentos porque quieren aprender. Si vienes te llevo a pasear.

¡Hola!,soy Gabriela, vivo en la Ciudad de México. Cuando salgo de la escuela con mis hermanos al mediodía, mi mamá nos recoge. Ella trabaja en la tarde, vendiendo ropa, yo soy buena para ayudarle, a veces me quedo en mi casa con mis hermanos a hacer la tarea.

1. Las actividades económicas que realiza la familia de Rodrigo son:
   a) Primarias y secundarias.
   b) Secundarias y terciarias.
   c) Terciarias y primarias.
   d) Sólo primarias.

2. Cómo es el grado de desarrollo económico de las entidades de donde son los niños.
   a) Medio y alto respectivamente.
   b) Bajo y muy alto respectivamente.
   c) Muy bajo y medio respectivamente.
   d) Medio y muy alto respectivamente.

3. Las actividades económicas primarias incluyen:
   a) La siderúrgica y la petroquímica.
   b) El turismo y el comercio.
   c) Las actividades agrícolas y forestales.
   d) Los servicios y el transporte.

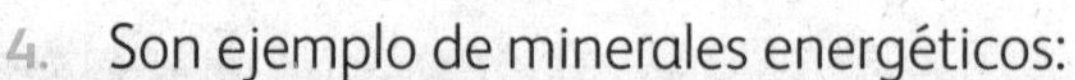

4. Son ejemplo de minerales energéticos:
   a) Oro y plata.
   b) Fierro y manganesio.
   c) Plomo y cobre.
   d) Petróleo y carbón.

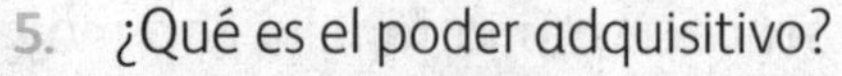

5. ¿Qué es el poder adquisitivo?
   a) Es la posibilidad de comprar más o menos productos.
   b) Es el poder comprar todo lo que queramos.
   c) Es comprar sólo lo que necesitamos.
   d) Contar con servicios que necesitamos.

Autoevaluación

Es tiempo de que evalúes lo que has aprendido en este bloque. Lee cada enunciado y marca con una palomita (✓) el nivel que hayas alcanzado.

Aspectos a evaluar	Lo hago bien	Lo hago con dificultad	Necesito ayuda para hacerlo
Localizo y represento en mapas de México productos agropecuarios, pesqueros y forestales.			
Interpreto gráficas y tablas sobre los recursos forestales y minerales.			
Elaboro carteles y mapas murales sobre actividades turísticas y comerciales.			
Interpreto información estadística y la represento en mapas.			

Escribe una situación en la que apliques lo que aprendiste, hiciste e investigaste en este bloque.

____

____

Aspectos a evaluar	Siempre	Lo hago a veces	Difícilmente lo hago
Reconozco la importancia de los recursos agropecuarios y forestales para la alimentación y la industria.			
Valoro la importancia de los minerales para la producción de maquinaria y otros productos que utilizamos.			
Reflexiono acerca de la importancia de las actividades económicas y el turismo para el desarrollo del país.			

Me propongo mejorar en: ____

BLOQUE V

Los retos de México

Epazoyucan, Hidalgo

¡Qué tal, Donají! ¿Cómo estás?

Me llamo Emilia y vivo en un pueblito de Hidalgo llamado Epazoyucan.

Me gusta mucho ir a la escuela, aunque sólo haya un salón que compartimos con los alumnos de primero a sexto grado. Pero el maestro Ernesto nos enseña a todos juntos y nos organiza muy bien. Lo que sí tenemos es un gran patio para jugar.

Al salir de la escuela me voy directito a mi casa que es muy bonita, es de una sola planta, con piso de tierra y hecha de adobe. Mi mamá siempre nos espera a mi hermana y a mí con algo delicioso para comer. Cada que llegamos, ella está en el fogón haciendo tortillas a mano y frijoles en olla de barro, pero lo que más me gusta es la flor del maguey con huevo y las tunas de colores que se dan en julio y agosto.

En casa también tenemos un patio grande. Mi papá nos puso un columpio en el árbol más alto y ahí nos divertimos mucho.

Cuando nos enfermamos mi mamá nos lleva a la unidad de salud del pueblo, aunque a veces no tienen las medicinas que necesitamos y vamos hasta la cabecera municipal. Ella nos dice que algunos de los médicos que nos atienden están terminando de estudiar.

Espero que te gusten las fotos que te envío.

Saludos.

Emilia

◆ Epazoyucan quiere decir en náhuatl "lugar de mucho epazote", una yerba que se usa para cocinar y que también es medicinal.

¿CÓMO VIVIMOS LOS MEXICANOS?

❖ Con el estudio de esta lección compararás la calidad de vida de las entidades del país.

Comencemos

Al igual que Emilia, escribe en tu cuaderno un texto acerca de cómo es tu casa, tu escuela y la comida que te gusta. Ilústralo con dibujos y preséntalo al grupo.

Después, comenten las repuestas a las siguientes preguntas:

- ¿Por qué consideras que es necesario que tengas casa y alimentos?
- ¿Por qué es importante que las niñas y los niños asistan a la escuela?

Aprendamos más

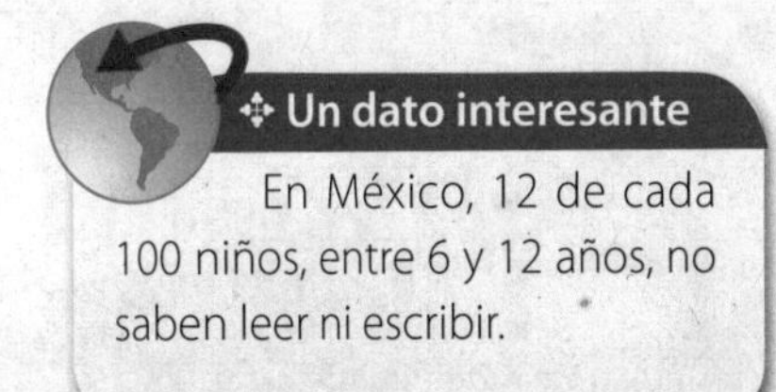

Como viste en la lección anterior, debido a las diferencias económicas entre las entidades del país, algunas personas no cuentan con lo necesario para vivir. Esto ocasiona desigualdad en la vivienda, la educación y la salud de la población mexicana.

❖ Para conocer la calidad de vida de la población, se toman en cuenta la alimentación, la educación, la salud, la vivienda y el ambiente, principalmente.

A leer y escribir

La educación tiene como finalidad preparar a hombres y mujeres para tener un mejor proyecto de vida, con el que puedan satisfacer sus necesidades. Sin embargo, en nuestro país muchas personas no asisten a la escuela, por lo que no saben leer ni escribir. A estas personas se les llama analfabetas.

Para saber qué parte de la población es analfabeta se utilizan los datos sobre la población de 15 años y más que no sabe leer ni escribir y la que no terminó su educación primaria.

Exploremos

Elabora un mapa de analfabetismo en México, tomando en cuenta los datos de abajo. Para ello, calca el mapa de la página 20 de tu *Atlas de México* y colorea cada grupo de entidades como se indica:

Verde: entidades con nivel de analfabetismo muy bajo.

Amarillo: entidades con nivel de analfabetismo bajo.

Anaranjado: entidades con nivel de analfabetismo medio.

Rojo: entidades con nivel de analfabetismo alto.

No olvides anotar los elementos que debe tener un mapa. Al terminar, compara la información de tu mapa con la de tus compañeros.

Analfabetismo en México *

Nivel de analfabetismo		Entidad
Muy bajo	De 1 a 4 de cada 100 personas no saben leer ni escribir.	Aguascalientes, Baja California, Baja California Sur, Coahuila, Distrito Federal, Nuevo León, Sonora
Bajo	De 5 a 9 de cada 100 personas no saben leer ni escribir.	Chiuahua, Colima, Durango, Guanajuato, Jalisco, México, Morelos, Nayarit, Querétaro, Quintana Roo, San Luis Potosí, Sinaloa, Tabasco, Tamaulipas, Tlaxcala, Zacatecas
Medio	De 10 a 20 de cada 100 personas no saben leer ni escribir.	Campeche, Hidalgo, Michoacán, Puebla, Veracruz, Yucatán
Alto	Más de 20 de cada 100 personas no saben leer ni escribir.	Chiapas, Guerrero, Oaxaca

* Inegi, Segundo Conteo de Población y Vivienda 2010.

◈ Para cubrir algunas de nuestras necesidades básicas requerimos de una vivienda que tenga los servicios indispensables, como energía eléctrica, agua entubada, sanitarios y espacio suficiente.

Mi casa es tu casa

La vivienda es el lugar en el que la familia habita, convive y se desarrolla. De acuerdo con la Constitución, todos los mexicanos tenemos derecho a tener una vivienda digna y decorosa que propicie la integración familiar, contribuya a generar un clima favorable para la población en edad escolar, reduzca los riesgos que afectan la salud, y facilite el acceso a sistemas de información y entretenimiento modernos.

La población que no cuenta con energía eléctrica, agua entubada, sanitario y espacio suficiente, carece de una buena calidad de vida. Además, esto contribuye a que el aprendizaje de los menores de edad sea menos eficaz.

De las tres viviendas que se muestran en las fotografías de arriba, ¿cuáles consideras que tienen los servicios básicos de agua, luz y drenaje?

Actividad

En la tabla de la página siguiente, subraya con verde los tres porcentajes más altos de cada columna y con amarillo los tres más bajos. Después, contesta las preguntas:

- ¿Cuáles son las tres entidades con más viviendas sin drenaje ni sanitarios?
- ¿Cuáles son las tres entidades con menor porcentaje de viviendas sin drenaje ni sanitarios?
- ¿Qué entidades requieren mayor atención para cubrir sus necesidades de agua entubada?
- ¿Qué entidades tienen más viviendas con energía eléctrica?

Localiza en la tabla tu entidad y contesta:

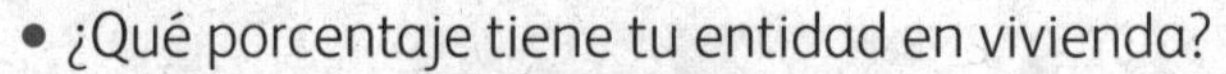

- ¿Qué porcentaje tiene tu entidad en vivienda?
- ¿Cómo puede afectar esta situación la vida diaria de las personas que viven ahí?

◈ Es muy difícil y costoso llevar agua potable y energía eléctrica a todos los mexicanos, por lo que es necesario cuidar estos recursos y no desperdiciarlos.

Condiciones de la vivienda en México *			
Entidad	**Viviendas sin drenaje ni sanitario**	**Viviendas sin energía eléctrica**	**Viviendas sin agua entubada**
	Porcentaje		
Baja California Sur	1.8	2.9	11.3
Campeche	9.8	4.8	11.1
Coahuila	1.6	0.8	2.2
Colima	0.8	0.7	1.7
Chiapas	8.1	5.9	25.9
Chihuahua	3.3	4.3	6.4
Distrito Federal	0.2	0.1	1.5
Durango	8.5	3.5	8.6
Guanajuato	9.9	1.9	6.1
Guerrero	27.2	6.3	31.3
Hidalgo	9.0	3.9	12.2
Jalisco	2.4	1.1	5.9
México	4.8	1.0	6.0
Michoacán	5.7	2.1	10.0
Morelos	3.1	0.8	7.8
Nayarit	6.8	4.4	8.3
Nuevo León	0.5	0.6	3.5
Oaxaca	6.8	7.2	26.3
Puebla	5.4	2.2	14.0
Querétaro	9.9	3.0	5.7
Quintana Roo	5.2	2.6	4.7
San Luis Potosí	5.7	5.6	17.0
Sinaloa	5.1	1.9	6.2
Sonora	1.9	1.9	4.0
Tabasco	4.0	1.9	22.9
Tamaulipas	0.8	2.9	4.3
Tlaxcala	4.8	1.1	2.0
Veracruz	4.2	4.7	23.3
Yucatán	18.0	2.6	3.0
Zacatecas	10.5	1.9	6.7

* Conapo, 2006.

◈ Una parte importante del agua potable que se entuba y dirige a zonas habitacionales se pierde en fugas de la red hidráulica o es desperdiciada irresponsablemente, mientras muchas viviendas carecen de agua potable. Es necesaria la colaboración de todos para cambiar esta actitud.

Comenten en grupo en qué actividades utilizan la energía eléctrica y el agua potable y por qué son importantes.

Finalmente, redacta en tu cuaderno un texto sobre la importancia de cuidar la energía eléctrica y el agua. Comparte y compara tu texto con el de tus compañeros.

Vivir más y mejor

✣ Un dato interesante

En México, en 2005, de cada 100 muertes 55 fueron hombres y 45 mujeres.

¿A dónde acudes cuándo te enfermas?

El acceso a los servicios de salud y los avances de la medicina se reflejan en la salud de la población. Una forma de evaluar la calidad de vida, es decir, los problemas de salud, alimentación y prevención de enfermedades de la población, es midiendo el promedio de años que viven las personas, lo cual se conoce como esperanza de vida. En nuestro país la esperanza de vida es de 75 años.

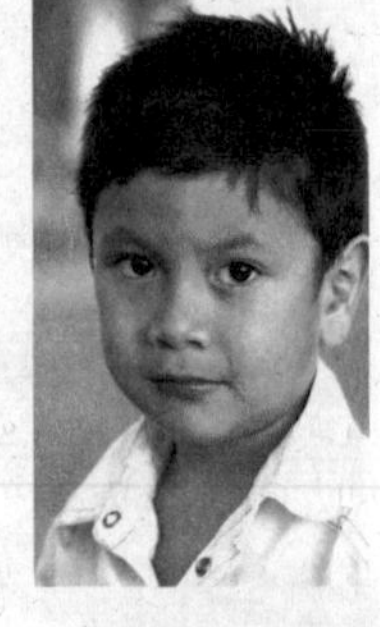

Debido al avance de la medicina, nuestra esperanza de vida es mayor que la de generaciones anteriores, como las de nuestros padres o nuestros abuelos.

Esperanza de vida en México *

Entidad	Esperanza de vida (años)
Aguascalientes	76
Baja California	76
Baja California Sur	76
Campeche	75
Coahuila	76
Colima	76
Chiapas	72
Chihuahua	76
Distrito Federal	77
Durango	75
Guanajuato	75
Guerrero	73
Hidalgo	74
Jalisco	76
México	76
Michoacán	75
Morelos	76
Nayarit	75
Nuevo León	77
Oaxaca	72
Puebla	74
Querétaro	75
Quintana Roo	76
San Luis Potosí	74
Sinaloa	75
Sonora	76
Tabasco	75
Tamaulipas	75
Tlaxcala	75
Veracruz	74
Yucatán	74
Zacatecas	74

* Conapo, 2006.

Actividad

Calca el mapa de la página 20 de tu *Atlas de México* y, tomando en cuenta la información de la tabla de la página anterior, colorea las entidades de acuerdo con los rangos de esperanza de vida:

Rojo: 72 a 73 años, nivel bajo.
Anaranjado: 74 a 75 años, nivel medio.
Amarillo: 76 a 77 años, nivel alto.

No olvides darle un título a tu mapa, hacer tu cuadro de simbología y copiar la escala, la rosa de los vientos y las coordenadas del atlas.

Ahora responde:

- ¿Qué entidades se encuentran en el rango más alto?
- ¿Qué entidades se encuentran en el rango más bajo?
- ¿En cuál se encuentra la entidad donde vives?
- ¿Cuál es la esperanza de vida de tu entidad?, ¿es mayor o menor a la esperanza de vida del país?
- ¿Cuáles son las causas que en la actualidad permiten una vida más larga para las personas?

Apliquemos lo aprendido

Revisen la tabla "Condiciones de la vivienda en México", página 155, y la de la página anterior "Entidades federativas por grado de desarrollo económico", y contesten:

- ¿Cuáles son las entidades con menor analfabetismo y mayor esperanza de vida?
- ¿Coinciden con el ingreso de los trabajadores?
- ¿Cuál es el nivel de ingreso de las entidades con menor analfabetismo y mayor esperanza de vida?
- ¿Por qué consideras que es así?

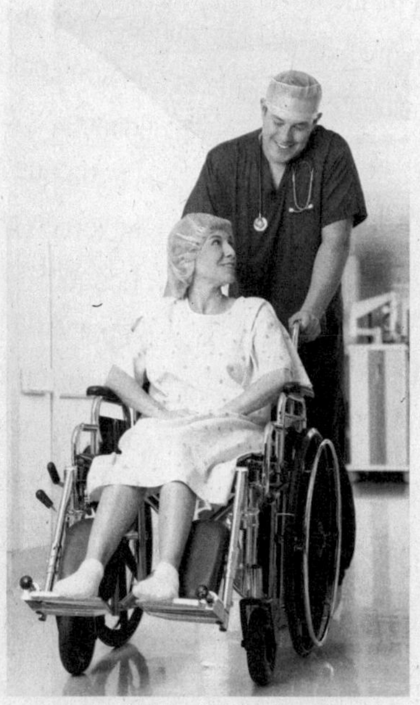

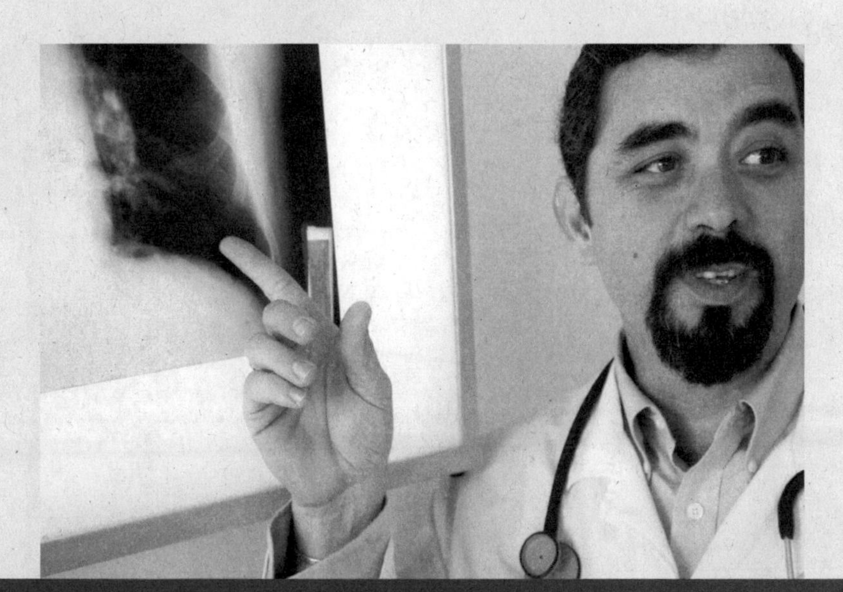

◈ La atención médica oportuna es uno de los factores que más influyen en elevar la esperanza de vida de la población.

México, Distrito Federal

Hola, Donají:

Me llamo Yólotl y vivo en la Ciudad de México, es muy grande y tiene lugares bonitos, como el Castillo de Chapultepec, el Ángel de la Independencia, Xochimilco, museos y muchas cosas más.

A mí me encanta Xochimilco, se localiza al sur de la ciudad. Es un lugar con muchas plantas y un lago por el cual algunos de sus habitantes se trasladan en trajineras que son como lanchas de madera. Hace poco fuimos con la familia, pero no pudimos pasear en trajinera porque la gente del lugar estaba limpiando el agua que ahora está muy contaminada.

Comentó mi tío que también en San Cristóbal de las Casas hay problemas ambientales porque los bosques se están perdiendo. Nos platicó que de niño, los árboles era aún parte de la ciudad, que hacia todos los lados se podían ver espacios cubiertos de pino y que ahora sólo se ven sembradíos, ganado y los árboles cada vez más lejos.

En tu estado, ¿qué tipo de problema ambiental existe y cómo les afecta?

Te mando fotos del Ángel de la Independencia se ve muy bonito porque ya lo limpiaron.

Yólotl

◈ El Ángel de la Independencia es uno de los monumentos representativos de la Ciudad de México.

LOS PROBLEMAS AMBIENTALES DE MÉXICO

❖ Con el estudio de esta lección distinguirás los principales problemas ambientales en México.

Comencemos

Los problemas ambientales, como en la ciudad donde vive Yólotl o en las áreas rurales, deterioran el agua, el suelo y el aire, y afectan la salud de la población, por eso debemos conocer cómo y por qué se originan, y qué podemos hacer para evitarlos. Identifica qué problemas ambientales hay en el lugar donde vives. Escríbelos en tu cuaderno, los vas a utilizar en la siguiente actividad.

❖ Las personas que lavan en los ríos usan productos que contaminan el agua.

Actividad

En equipo, completen el siguiente mapa mental en su cuaderno y, al terminar, comenten y compártanlo en grupo. Seleccionen el más completo y compleméntelo con la información de los demás.

Un problema ambiental de mi comunidad

¿Qué es un problema ambiental?

Los problemas ambientales de mi comunidad.

Las consecuencias son

Las causas que lo produjeron son

Aprendamos más

◈ Deforestación en México.

Los problemas ambientales en México

Como tú y Yólotl, todas las personas realizamos actividades que pueden perjudicar el ambiente al transportarnos, asearnos, tomar alimentos o visitar otros lugares.

Diversas actividades se realizan para extraer, producir o elaborar los alimentos que la población consume, así como los muebles, la ropa o los combustibles para la industria y el transporte. Cuando estas actividades se realizan sin control o de forma irresponsable, el ambiente se contamina y los recursos naturales se pierden

Contaminación y deforestación

La contaminación se produce cuando existe la presencia de elementos en el aire, el agua o el suelo que son dañinos para la salud de la población, o perjudican la vida de las plantas o animales.

Contaminación del aire

◈ Ingenio azucarero en el estado de Veracruz.

El aire que se considera limpio, también contiene contaminantes (polvo o sustancias químicas) pero en niveles que no hacen daño. Cuando se mezclan en el aire demasiado polvo, humo de los escapes y sustancias químicas, el aire está contaminado.

Para saber si el aire está sucio, diariamente se toman muestras en todo el país, principalmente en áreas urbanas e industrializadas. El ozono y el polvo o el hollín son los principales contaminantes del aire en el país. Cuando el ozono está en las capas más altas de la atmósfera es bueno porque protege de los rayos solares, pero afecta cuando está a nivel del suelo y lo respiramos. El hollín proviene de las cosas que se queman, como cuando se prende una fogata con leña.

Contaminación del agua

El agua de lluvia es limpia, pero, principalmente en las grandes ciudades, aún antes de llegar al suelo, recibe algunos contaminantes del aire que se mezclan con las gotas de agua. A esta agua contaminada se le llama lluvia ácida. Ya en el suelo arrastra aceites, gasolinas y se agregan aguas con residuos de materia orgánica y sustancias que provienen de los detergentes. En áreas rurales, la lluvia ácida al llegar al suelo y en su recorrido al mar acarrea sustancias contaminantes como insecticidas y abonos.

Cuando los ríos desembocan, los residuos pasan al mar dañando los ecosistemas marinos. Más graves son los derrames de petróleo.

◈ En México sólo se trata 35% de las aguas negras o residuales que se generan en las áreas urbanas o rurales. La mayoría del agua contaminada llega a ríos, como el de los Remedios, lagunas, lagos y zonas costeras (datos Inegi).

Contaminación del suelo

El suelo recibe diversos contaminantes. Entre ellos sustancias químicas de abonos no naturales, plaguicidas y herbicidas. Productos que son útiles en la agricultura, pero que cuando se usan de forma inadecuada, provocan cambios en los suelos. Pueden dañar especies útiles y alterar el equilibrio natural, además de ser tóxicos para el ser humano.

También se contamina por los desechos industriales que se derraman sobre el suelo directamente o por las sustancias químicas del agua que arroja la actividad minera.

En los alrededores de las ciudades son frecuentes los depósitos de basura que al contaminar el agua que se filtra, se convierten en fuente contaminante del suelo.

◈ El gran canal, Estado de México.

Deforestación

Además de la contaminación, otro problema grave que afecta el aire, el agua y el suelo, es la deforestación. El Instituto Nacional de Estadística y Geografía (Inegi) señala que en el país se deforestan casi 500 mil hectáreas de bosques y selvas cada año. La causa principal es el desmonte para extender las áreas agrícolas y ganaderas, le siguen los incendios y la construcción de más espacios urbanos y rurales y la tala ilegal.

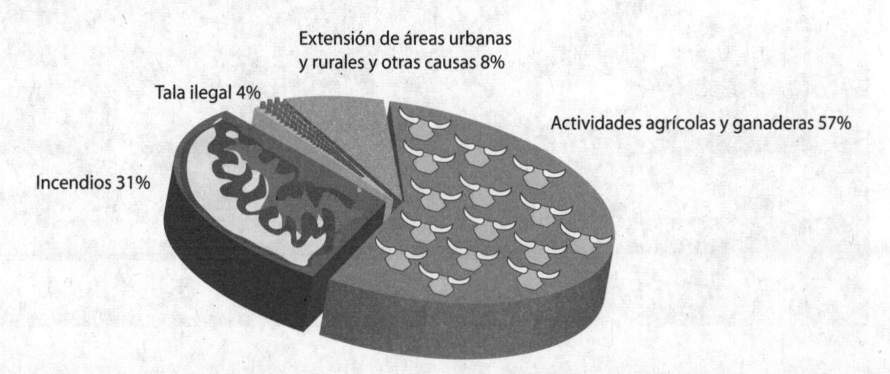

Los problemas ambientales del agua, el suelo y el aire no deben verse por separado, son problemas que se relacionan entre sí. Para que comprendas su vinculación, lee el siguiente texto y observa en estas páginas la secuencia que muestra la producción de aceite de coco cuando no se realiza de manera responsable.

Revisa la información de las páginas 160 y 161, y anota en tu cuaderno los problemas ambientales que representan las siguientes imágenes.

El tío de Yólotl también comentó sobre su estado, Chiapas, lo siguiente:

Todo ha cambiado en el camino de San Cristóbal a Palenque, a los lados de las carreteras se ven enormes áreas de sembradíos y ganado, los bosques están cada vez más lejos. El camino ya no huele a humedad, ahora huele a insecticidas y herbicidas. En varios lugares se han talado grandes extensiones de selva para sembrar palma de coco, propia de la zona costera. Animales y plantas del lugar se están perdiendo y los pobladores de las pequeñas comunidades rurales han desaparecido, buscando otros lugares para vivir.

◈ El Sol es una fuente de energía prácticamente inagotable que no contamina el ambiente y cada vez es menos costosa gracias al avance tecnológico, por lo que es una alternativa importante frente a los hidrocarburos.

Protejamos nuestro ambiente

Desde hace algunos años, la sociedad y los gobiernos comenzaron a tomar conciencia de los graves efectos de los problemas ambientales, por lo que han iniciado acciones para contrarrestarlos y heredar un mejor futuro para la niñez.

Por ejemplo, se les ha pedido a fábricas y empresas que eliminen la mayor cantidad de contaminantes del agua que utilizan, para que al vaciarlos en los mares o ríos no los contaminen. Por otro lado, los reglamentos para las fábricas y los dueños de automóviles exigen el mantenimiento de su maquinaria para disminuir los contaminantes que emiten. Incluso, grupos de personas han organizado cooperativas para elaborar productos orgánicos, es decir, artículos de consumo con técnicas no contaminantes y sin gasto de energía excesivo; por ejemplo, cosechan verdura utilizando fertilizantes y plaguicidas naturales que son amigables con la naturaleza.

Tú también puedes llevar a cabo acciones para ayudar a conservar el ambiente. Por ejemplo, para cuidar el agua, puedes regar el jardín por las tardes, para que no se evapore rápidamente, también puedes pedir a un adulto que repare las fugas para que no se desperdicie.

Menciona otra forma de dar solución a los problemas ambientales.

Un dato interesante

El suelo se considera un elemento natural que difícilmente se recupera; para que un centímetro vuelva a ser fértil deben pasar entre 100 y 400 años.

Apliquemos lo aprendido

Consulta en...

Para conocer acciones acerca del cuidado del ambiente, consulta la página http://www.semarnat.gob.mx o en el de Ciencias Naturales de cuarto grado.

Intégrate al equipo con el que participaste en la actividad anterior y organicen una campaña de acuerdo con su elemento: agua, aire o suelo, para promover el cuidado del ambiente. Para ello recuperen su mapa mental de la página 159.

Después, investiguen o propongan acciones que se puedan llevar a cabo en las casas de su barrio o colonia.

En una hoja a manera de folleto, informen sobre la importancia de cuidar el ambiente en el que y del que vivimos, así como las causas del problema elegido; escriban las acciones que cada familia puede realizar e ilústrenlas.

Finalmente, fotocopien los folletos de cada elemento natural y compártanlos con sus familiares y vecinos.

Entre las acciones que podemos realizar como familia para cuidar el ambiente están la elaboración de composta, que sirve para reciclar los productos orgánicos y producir tierra, así como el uso de calentadores de agua de energía solar.

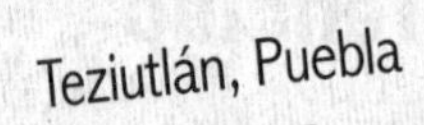

Teziutlán, Puebla

Hola, Donají:

Te escribo desde Teziutlán, en la Sierra Norte de Puebla. Me llamo Ollin, pero mis amigos me dicen Oxga porque me muevo como venado al jugar futbol. Ollin significa movimiento en náhuatl y Oxga, venado en mi lengua totonaca.

Ayer vino mi tía Citlali y, como llovió mucho, recordó que en octubre de 1999 llovió tanto que se desgajó parte de la colonia La Aurora, cerca de mi casa. Nos contó que la lluvia duró diez días; al octavo se oyó un ruido muy fuerte, como si el suelo se rompiera, y al poco rato personas angustiadas caminaron hacia el panteón; cuando llegaron ahí escucharon gritos y llantos bajo la lluvia persistente, muchas tumbas y casas habían desaparecido, se cayeron. En el noticiario dijeron que hubo un deslizamiento que se llevó la parte oriente del poblado, y como se habían suspendido clases y otras actividades, la mayoría de las viviendas estaban habitadas, por lo que murieron más de cien personas. Luego dijeron que llegaron los del Centro Nacional de Prevención de Desastres (Cenapred) y Protección Civil para investigar las causas del deslizamiento y alentar a las personas de todo el municipio a realizar acciones que evitaran otro desastre similar.

La maestra nos explicó qué es un desastre y dice que ocurren en todo el país y el mundo. Espero que tú nunca hayas vivido algo tan terrible como esto.

Escríbeme para contarme si ya estudiaron la lección de desastres y cuáles han ocurrido en tu entidad.

Hasta pronto.

Ollin

❖ En la Sierra Norte de Puebla llueve todo el año, pero se acentúa en algunas épocas, por lo que no es raro que ocurran derrumbes y debemos tener mucho cuidado.

LOS DESASTRES QUE ENFRENTAMOS

❖ Con el estudio esta lección identificarás los tipos de desastres más comunes en México.

Comencemos

Tal como escribió Ollin, los desastres afectan a muchas personas y ocurren en todo el mundo. Pueden ser originados por deslizamientos de tierra, lluvias torrenciales, sismos, heladas, explosiones, epidemias y accidentes de transporte, pero la participación de la sociedad y de las instituciones públicas, privadas y sociales puede ayudar a mitigar sus efectos negativos.

¿Has vivido o escuchado acerca de algún desastre que haya afectado a toda una comunidad como lo describe Ollín en su carta? Escríbelo en tu cuaderno.

Actividad

En grupo platiquen acerca de desastres que hayan escuchado, leído, visto o vivido y dibujen, sobre un pliego de papel, un mapa mental del desastre que más les haya impactado. Para ello identifiquen cuándo sucedió, cuáles fueron sus consecuencias, qué lugares y personas afectó, y qué se puede hacer para prevenirlo.

El siguiente ejemplo es una sugerencia, si lo prefieren, pueden agregar más información o distribuirla de diferente forma. Recuerden que en un mapa mental pueden utilizar imágenes y diferentes colores.

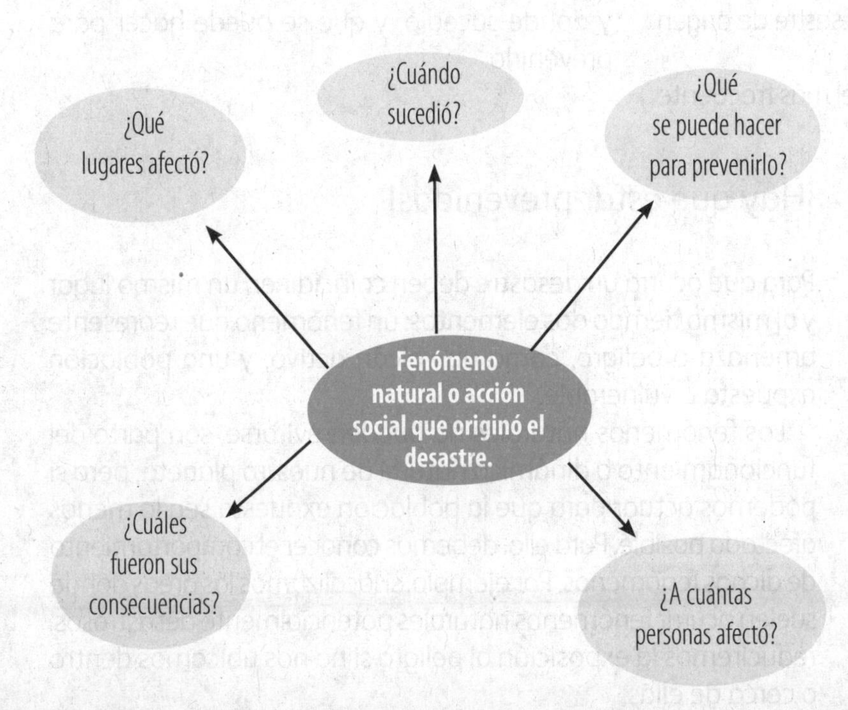

❖ La ocurrencia de los desastres relacionados con fenómenos naturales no es posible evitarla, pero sí podemos prevenirnos para mitigar el impacto que pueden causar en la población, en sus bienes y en el entorno.

En septiembre de 1985, varios sismos destruyeron la Ciudad de México.

Aprendamos más

Los desastres

Los desastres son situaciones que alteran negativamente la vida natural, social, económica y cultural del lugar donde ocurren. Pueden estar relacionados con fenómenos naturales, por ejemplo, ciclones, heladas, sequías, terremotos o deslizamientos de tierra; o con fenómenos antropogénicos (ocacionados por la actividad humana), como explosiones en fábricas, epidemias o derrames de químicos peligrosos, entre otros. Ambos pueden ocasionar graves daños ecológicos, sociales o económicos, con los que se puede perder desde un bien material, como un auto, una casa o un tractor, hasta la vida.

Actividad

En las imágenes de ambas páginas se muestran algunos de los peores desastres que ha enfrentado México. En grupo analícenlos y encierren en un círculo azul los que son originados por un fenómeno natural y en uno anaranjado a los antropogénicos (provocados por el ser humano). Entre todos respondan:

- ¿Cuántos de ustedes han vivido un desastre originado por un fenómeno natural?
- ¿Cuántos han sufrido un desastre de origen antropogénico?
- ¿Cuál de los dos tipos fue el más frecuente en su grupo?

Anoten en su cuaderno las peores consecuencias que hayan escuchado o conozcan de un desastre.

Entre todos hagan una lista que exponga las consecuencias negativas de los desastres en México.

Respondan: ¿por qué vale la pena prevenir?

Individualmente, dibuja en tu cuaderno algún desastre que haya sucedido en el lugar donde vives, anota qué tipo de desastre es, cuándo y dónde sucedió, y qué se puede hacer para prevenirlo.

En agosto de 2007 el huracán Dean azotó las costas de Yucatán.

¡Hay que estar prevenidos!

Para que ocurra un desastre deben coincidir en un mismo lugar y al mismo tiempo dos elementos: un fenómeno que represente amenaza o peligro, como un volcán activo, y una población expuesta o vulnerable.

Los fenómenos naturales no pueden evitarse, son parte del funcionamiento o dinámica natural de nuestro planeta; pero sí podemos actuar para que la población expuesta sea lo menos afectada posible. Para ello, debemos conocer el comportamiento de dichos fenómenos. Por ejemplo, si localizamos las áreas donde suelen ocurrir fenómenos naturales potencialmente desastrosos, reduciremos la exposición al peligro si no nos ubicamos dentro o cerca de ellas.

Si sabemos que en la vertiente del Golfo de México, los ríos rebasan sus cauces durante la época de lluvia, entonces es necesario evitar construir las casas cerca del cauce de esos ríos o tener planes para actuar rápido en caso de inundaciones.

Lo mismo ocurre con los fenómenos antropogénicos: una gasolinera, un oleoducto, una refinería de petróleo, una carretera o una fábrica son lugares que pueden ocasionar accidentes que afectarían una superficie amplia a su alrededor y dañarían a una gran cantidad de personas, animales, plantas y viviendas. Si no es posible evitar la construcción de viviendas cerca de estos lugares que representan peligro, entonces debemos estar informados de las acciones preventivas en caso de que ocurra una emergencia.

En noviembre de 2007, el estado de Tabasco sufrió severas inundaciones.

Incendio del pozo Ixtoc I en la bahía de Campeche, donde derramó 1.81 millones barriles de petróleo en 1979.

Accidente de helicóptero en la Ciudad de México.

Exploremos

En parejas observen el mapa de zonas sísmicas y principales volcanes del *Atlas de México*, página 13, sobrepongan su mapa de división política y en su cuaderno elaboren una lista de las entidades que requieren tomar medidas preventivas frente a erupciones volcánicas y terremotos. Pónganle un título.

Hagan lo mismo con el mapa de peligro de inundaciones en México que se presenta en el anexo, página 194.

Comparen sus listas con las de otra pareja. ¿Tienen las mismas entidades? Si no es así, pregúntenle a sus compañeros por qué las incluyeron. En grupo, observen en el mapa las áreas con menor peligro de inundaciones y con base en esa información respondan:

- ¿Qué entidades pueden enfrentar desastres por sequías?
- ¿Consideran que existe alguna entidad del país que no enfrente el riesgo de desastres, ya sean de origen natural o social?, ¿cuál y por qué?

Como pudieron ver, existen distintos tipos de peligros a los que estamos expuestos, de acuerdo con las características físicas del territorio, con la distribución de la población y de sus actividades. Es por ello que como sociedad debemos prevenir, informarnos y organizarnos para actuar de manera efectiva cuando se presente un sismo, un ciclón, un incendio o una epidemia y evitar que se convierta en un desastre.

Apliquemos lo aprendido

Para enfrentar de manera más segura los peligros naturales y sociales, es indispensable conocer el lugar donde vivimos, las fuentes de peligro y los lugares más seguros, así como los planes familiares, escolares y comunitarios que existen para actuar en caso de emergencia.

Las medidas generales para la prevención son las siguientes.

Medidas generales para la prevención

En caso de desastre tal vez tengas que pasar varios días sin salir de tu casa, por lo que tu familia y tú deben estar preparados. En algunos casos, el lugar donde vives puede ser una zona en peligro, así que deberán trasladarse a un refugio temporal seguro.

Tu familia y tú deben hacer una lista de los artículos que necesitan. Cada qu debe hacerse responsable de algo y saber exactamente en qué lugar de la c se encuentra para no perder tiempo buscándolo. Al salir, deberán cargar sus cosas en una mochila, en la espalda, para llevar las manos libres.

Lista de provisiones para casos de emergencia:

Agua, mínimo dos litros diarios por persona, almacenada en envases irrompibles y alimentos que no necesiten cocerse ni se echen a perder (leche en polvo, atún, jugos).
Destapador, cuchillo y abrelatas.
Pastillas o gotas para purificar agua.
Radio y linterna de pilas con baterías de repuesto.
Velas y cerillos dentro de una bolsa de plástico.
Impermeables y botas.

Lista de documentos que deberán estar listos y en bolsas de plástico:

Actas de nacimiento y matrimonio, pasaporte, Clave Única de Registro de Población (CURP) y credencial de elector.
Certificados o constancias de estudios.
Documentos agrarios, de seguros y escrituras notariales.
Credencial del seguro social.
Licencia de manejo.
Dinero en efectivo y tarjetas de crédito. Libretas de ahorro y chequeras.

Botiquín de primeros auxilios:

Alcohol y algodón.
"Seguritos".
Analgésicos.
Antiácidos y laxantes.
Aplicadores (hisopos o cotonetes) y gotero.
Bolsas de plástico.
Bolsa para agua caliente.
Carbonato.
Cinta adhesiva.
Jabón antibacterial.
Manual de primeros auxilios.
Pastillas para náuseas.
Tijeras.
Vaselina.
Vendas de diferente tamaños.

Si algún familiar lleva un tratamiento médico, guarden la medicina que toma junto con la receta.

Es muy importante que en todo momento permanezcas cerca de tus papás o de algún otro adulto • No te separes • En todo momento mantén la calma y ayuda a preparar la mochila y el botiquín.

Otras medidas que se deben tomar para evitar que ocurra un desastre son:

- Revisar las construcciones: casas, escuelas, oficinas, hospitales, entre otros, para verificar que no tengan grietas, humedad y se conserven en buen estado.
- Revisar y darle mantenimiento a instalaciones como diques y tuberías de agua o gas.
- Señalar de manera clara los lugares de peligro, salidas de emergencia y áreas de resguardo y de seguridad en todas las construcciones donde habite gente.
- Asegurarse de no vivir en un lugar de alto riesgo y estar informado de las medidas de protección civil de ese barrio, colonia o localidad.

Actividad

Con la ayuda de su maestro organícense en dos equipos y, si es posible, hagan todos juntos un recorrido por su colonia o barrio. Después distribúyanse las siguientes tareas:

Equipo 1. En un pliego de papel grande dibujen el lugar donde viven, incluyan casas, caminos, parcelas, cerros, ríos, edificios, parques, fábricas, gasolineras y calles principales. Del lado derecho de su dibujo dejen un espacio en blanco para poner las medidas preventivas generales.

Equipo 2. Observarán el dibujo que hizo el equipo uno para identificar y marcar con color rojo los peligros presentes en cada lugar. Consulten los mapas de zonas de riesgo sísmico, volcánico (*Atlas de México*, página 13) y de inundaciones (anexo, página 194), para identificar qué tipo de desastre podría ocurrir en donde viven. Si consideran que en el dibujo faltan elementos naturales o sociales que ustedes recuerdan y que pueden provocar un desastre, dibújenlos.

Entre todos comenten y marquen qué lugares podrían ser seguros y servir como albergues en caso de que ocurra una emergencia.

En el espacio en blanco, del lado derecho, incluyan la lista de provisiones, medicamentos y documentos, así como las recomendaciones generales que deben considerarse en caso de emergencia. Incluyan también los números de teléfono de ayuda de su localidad (protección civil municipal, bomberos, Cruz Roja, policía y Locatel).

Con ayuda de su maestro expongan a su escuela y, si es posible, a su comunidad, el dibujo que elaboraron.

Consulta en...

La página de protección civil hecha especialmente para niños, la dirección es: http://www.proteccioncivil.gob.mx/infantil/

También puedes visitar la página de Cenapred: http://www.cenapred.gob.mx y navegar por sus links. Te recomendamos visitar el "Atlas nacional de riesgos" e identificar aquellos que afectan tu entidad y municipio.

Un dato interesante

Como consecuencia de los sismos de 1985 se crearon en México el Sistema Nacional de Protección Civil y el Centro Nacional de Prevención de Desastres (Cenapred), para prevenir, vigilar e investigar posibles desastres y capacitar a la población para protegerse en caso de que ocurra un fenómeno peligroso.

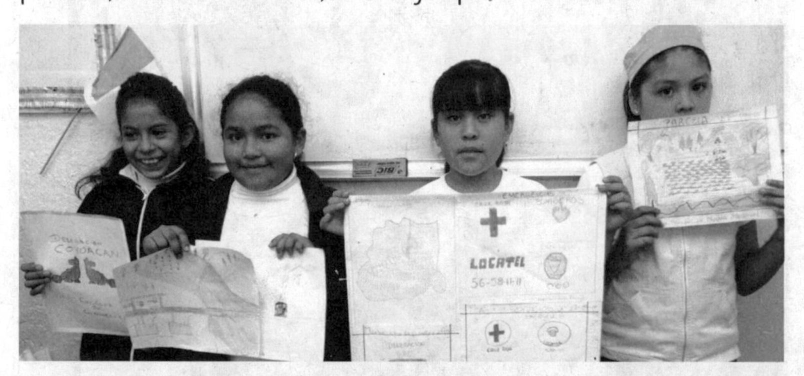

En las lecciones anteriores estudiaste algunos retos que enfrenta nuestro país, el contraste en la calidad de vida, los problemas ambientales y los desastres; también viste la manera como podemos evitar o aminorar sus efectos. En la siguiente lección trabajarás con retos locales, es decir, problemas que se presentan en el lugar donde vives.

Buscar

Recibidos

Redactar

Archivar | Marcar como | Eliminar | Mover a | Etiquetar

Recibidos

Enviados

Borradores

Eliminados

Plantillas

Pinotepa Nacional, Oaxaca

Un saludo con mucho afecto a todas mis amigas y mis amigos.

La maestra me sugirió enviar un correo electrónico para agradecerles a todos los que nos escribieron y mandaron fotografías de sus entidades.

Los contenidos de sus cartas nos dieron ideas para elegir el problema que trataremos en nuestro proyecto de fin de curso. Había varios temas para investigar: la basura en las playas, la falta de apoyo a los pescadores; pero lo que nos interesó más fue la invisibilidad del grupo étnico afromexicano, al que pertenece Eusebio, con quien platicamos.

Resulta que esta etnia, aunque existe desde hace muchos años en México, es casi desconocida. ¿Sabían ustedes de ellos? Así que decidimos investigar más sobre el grupo al que pertenece Eusebio para que ustedes también lo conozcan. Nuestro proyecto se llama "Los afromexicanos, una etnia olvidada".

Les propongo compartir nuestras investigaciones para saber un poco más de los problemas en diferentes lugares de México.

Un abrazo para todos y espero que no dejen de escribirnos.

Donají

↰ Responder → Reenviar

PROYECTO: LOS AFROMEXICANOS, UNA ETNIA OLVIDADA

❖ Con el estudio de esta lección analizarás un problema de tu medio local en relación con el contexto nacional.

Comencemos

Como lo mencionó Donají en su carta, ahora en grupo desarrollarán un proyecto de fin de curso.

¿Qué problema les interesa investigar? Puede ser ambiental, económico, social o cultural, como el que escogió el grupo de Donají. Para ello, retomen sus conocimientos de geografía con el fin de reconocer los problemas o necesidades relacionados con el ambiente, las condiciones sociales y económicas de la población o las diversas manifestaciones culturales de México y vean cuáles de ellas se presentan en el lugar donde viven.

Para realizar su proyecto, tomen en cuenta las siguientes etapas:

1. Planeación
2. Desarrollo de las actividades planeadas
3. Comunicación de los resultados

En los siguientes recuadros encontrarás los pasos a seguir en cada una de las etapas. Para entender mejor cómo desarrollarlos, te presentamos como ejemplo la investigación sobre los afromexicanos de Oaxaca.

❖ Los afromexicanos forman parte de varias comunidades mexicanas desde hace muchos años, pero se les ha tratado como a un grupo invisible, sin un registro particular de sus condiciones de vida.

Etapa 1

Planeación del proyecto

Formen equipos y comenten sobre los problemas o necesidades del lugar donde viven y enlístenlos.

Recopilen información acerca de los problemas anotados. Pueden hacer entrevistas, leer periódicos y revistas de su entidad o preguntar a su familia y vecinos.

Reúnanse en grupo y con la orientación de su maestro revisen los problemas o necesidades detectadas y elijan el problema a investigar.

Anoten el propósito de su investigación, es decir, expliquen lo que van a lograr con la investigación.

Los afromexicanos de Oaxaca

Todo el grupo de cuarto grado, de la escuela de Donají, en Pinotepa, participó en la selección del problema, para ello enlistaron en un cuadro como el siguiente dichos problemas o necesidades, con el fin de evaluar las posibilidades de llevar a cabo cada proyecto.

	Problemática o necesidad
Ambiente	Las personas tiran basura en las playas.
Condiciones sociales y económicas	Falta de apoyo a los pescadores.
Manifestaciones culturales	Desconocimiento de la etnia afromexicana.

Debido a que la mayoría se interesó en la problemática presentada por Eusebio, el maestro les propuso que buscaran más información sobre este grupo antes de tomar una decisión.

◈ Desde la época colonial llegaron africanos a nuestro continente, esclavizados para realizar los trabajos más pesados. Los afromexicanos habitan en varios estados como Guerrero, Oaxaca, Veracruz y Tabasco.

Uno de los textos más interesantes que encontraron fue el siguiente:

Afroamericanos

Los primeros habitantes de color que llegaron a la costa de Oaxaca lo hicieron para huir de la esclavitud. En 1914 arribaron negros del Caribe para la construcción del ferrocarril; sin embargo, en 1927 se prohibió la entrada de negros, libaneses, palestinos, turcos y chinos para evitar la degeneración de la raza, según el gobierno de la época.

En la actualidad, la influencia de los afrodescendientes se observa en los rasgos físicos de los lugareños, así como en algunas manifestaciones culturales, tanto de los indígenas como de la población mestiza, por ejemplo, en las danzas de negros, en el culto a los cristos negros y en canciones como La Zandunga, que dice "Zandunga, tú eres tehuana, negra de mi corazón"; El feo: "Si alguien habla de mí en tu presencia, dile que yo soy tu negro santo"; y Tehuantepec, que corea "Música de una marimba, maderas que cantan con voz de mujer". Incluso la marimba es un instrumento de origen africano.

A pesar de lo anterior, esta etnia no aparece en los censos, documentos oficiales, libros de enseñanza básica y ni siquiera forma parte de la conciencia colectiva. A diferencia de los indígenas, quienes a pesar de la discriminación y el racismo que padecen, son reconocidos como una de las raíces de lo mexicano.

Una persona de San Nicolás, Guerrero, prepara una artosa, esto es, una tarima sobre la que se baila.

Una de las aportaciones más importantes de los afromexicanos a nuestra cultura ha sido su desarrollado sentido rítmico y musical, un ejemplo es la marimba, de origen africano. La imagen muestra un instrumento que se toca en África similar a la marimba.

Después de investigar más acerca de la cultura afromexicana, el grupo de Donají encontró que sólo las leyes oaxaqueñas la reconocen como la etnia afro-oaxaqueña, aunque no están considerados en el Censo General de Población y Vivienda.

Esto los ayudó a confirmar la selección de su proyecto sobre los afromexicanos que habitan en Oaxaca, con el propósito de darlos a conocer como una etnia cuyas costumbres y manifestaciones enriquecen nuestra cultura.

¿Ustedes ya tienen su problema seleccionado?

Como parte de la planeación definimos las tareas que se iban a desarrollar y se asignaron responsables y tiempos. Con la orientación de su maestro, analicen el problema a investigar, pueden hacerlo formulando diversas preguntas como:

¿Qué originó el problema?

¿Cuál es la gente que resulta afectada?

Después, organícense para responder la siguiente pregunta: ¿Dónde buscar información?

Etapa 2

Desarrollo de actividades

Formen equipos.
Decidan qué tarea o actividad realizarán cada uno para recopilar su información.

Identifiquen los recursos que necesitarán y los tiempos para la realización de las actividades.

Las tareas pueden ser:

- Localización y búsqueda de información en mapas, libros, revistas y periódicos.
- Análisis de datos estadísticos y gráficas relacionadas con las preguntas:

¿Qué investigar? ¿Cómo? ¿Cuándo? ¿Dónde? ¿Con qué? ¿Para qué?

Visita a la localidad donde se realiza la investigación para obtener información directa a través de la observación.

Recopilen la información. Analícenla, compárenla, selecciónenla y organícenla.

Comenten cómo representarla, puede ser en tablas, mapas, gráficas o carteles.

Recopilación de la información

Para la obtención de información, el grupo se dividió en cuatro equipos:

El primero, con ayuda del maestro, ubicó el municipio de Pinotepa Nacional, identificó el relieve, el clima y la vegetación del municipio. Después realizaron una visita a Corralero, localidad costeña con población afro–oaxaqueña.

Municipio de Pinotepa Nacional

Pinotepa Nacional, Oaxaca.

El segundo equipo se dedicó a investigar las características de la población y obtuvo la siguiente información estadística:

◈ En México varios investigadores han realizado estudios sobre la historia y la cultura de los afromexicanos, entre ellos Gonzalo Aguirre Beltrán y Mario Moya Palencia, gracias a quienes podemos descubrir la profunda influencia que han tenido en nuestra sociedad.

Corralero *	
Población total	**1301**
Población masculina	635
Población femenina	666
Población de 6 a 14 años	305
Población de 15 años y más	791
Población de 8 a 14 años analfabeta	30
Población de 15 años y más analfabeta	214
Grado promedio de escolaridad	4°
Población de 5 años y más que habla alguna lengua	0
indígena y no habla español	0
Población de 5 años y más que habla alguna lengua indígena y habla español	46
Promedio de ocupantes por cuarto en viviendas particulares habitadas	2
Viviendas particulares habitadas con un solo cuarto	75
Viviendas particulares habitadas que disponen de agua, drenaje y energía eléctrica	0

*Inegi. Segundo Conteo de Población y Vivienda 2005.

El tercer equipo observó la comunidad, platicó con las personas, tomó fotografías del paisaje, de las actividades que se realizan y de sus casas.

El cuarto equipo investigó sobre su música y sus danzas, como manifestaciones culturales que le dan identidad al grupo étnico.

En una hoja grande que puso el maestro en la pared se anotaban diariamente las actividades realizadas y la forma en la que cada equipo presentaría su información. Un equipo anotó que elaboraría gráficas y otro que prepararía un álbum fotográfico.

Por equipo, diario se comentaba el avance del proyecto y la participación de cada integrante, así se evaluaba si era necesario cambiar las tareas de uno o varios de nosotros.

◈ El djembé es uno de los instrumentos africanos más conocidos fuera de África. Cuando varios djembé actúan a la vez recurren al característico diálogo entre instrumentos, lo que podemos encontrar también en la música de los afromexicanos.

Etapa 3

Intercambio de ideas y comunicación de resultados ▶

Después de recopilar y analizar la información es importante dar a conocer los resultados de la investigación y las posibles soluciones del problema a la comunidad. Lo pueden hacer a través de un cartel, un mural, una composición, una exposición o un festival de danza o teatro.

Para el cierre del proyecto decidieron realizar un festival que difundiera las manifestaciones culturales de los afromexicanos de Oaxaca, por ejemplo, los bailables, la música, la vestimenta que usan y su significado, como un reconocimiento hacia ellos y para enriquecer la cultura local y estatal.

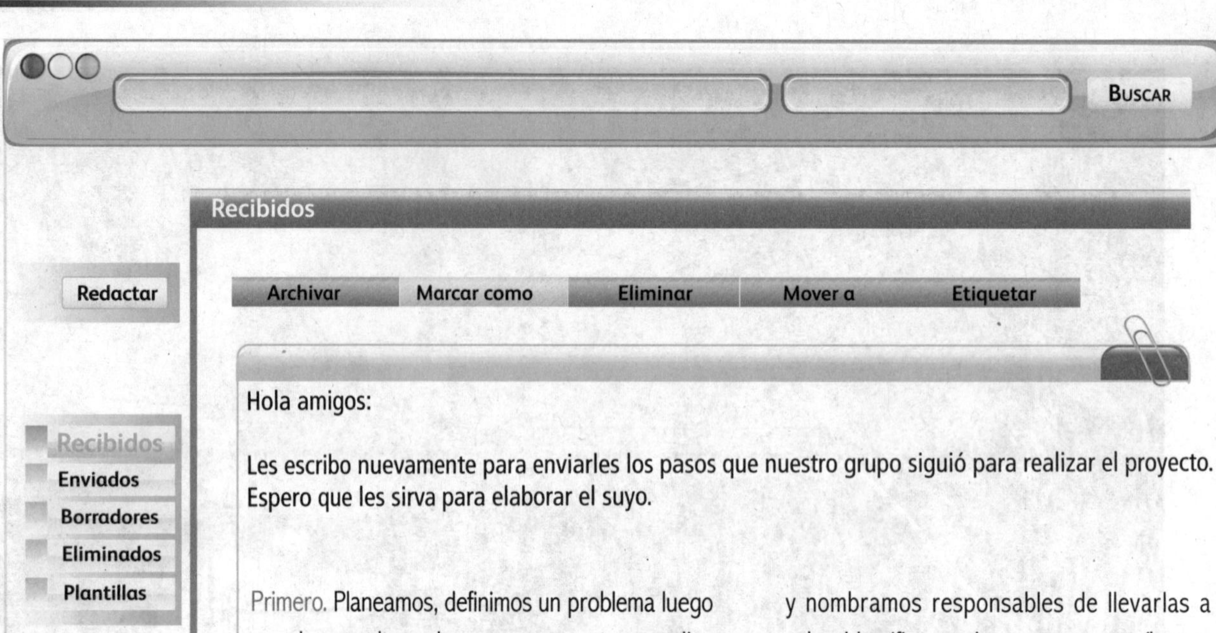

Hola amigos:

Les escribo nuevamente para enviarles los pasos que nuestro grupo siguió para realizar el proyecto. Espero que les sirva para elaborar el suyo.

Primero. Planeamos, definimos un problema luego de consultar a las personas y otros medios de información como revistas y periódicos. Anotamos todos los problemas que encontramos y decidimos que el desconocimiento del grupo afromexicano hasta en documentos oficiales debía investigarse.

Con base en el problema definimos el propósito, es decir, para qué investigarlo. El nuestro fue reconocer a los afro-oaxaqueños como una etnia cuyas costumbres y manifestaciones enriquecen nuestra cultura.

Segundo. Desarrollamos las tareas planeadas. En equipo nos asignamos las tareas que teníamos que realizar para lograr el propósito y nombramos responsables de llevarlas a cabo. Identificamos los recursos que íbamos a necesitar y los tiempos para su realización.

Realizamos las acciones asignadas y fuimos registrando los resultados de nuestra investigación en hojas que todos pudieran observar. Organizamos toda la información recopilada para compararla y tomar la que realmente servía al propósito.

Tercero. Para comunicar a los demás los resultados de nuestra investigación decidimos que un festival cultural, que expresara las manifestaciones culturales de los afro-oaxaqueños, era la mejor opción.

Por fin realizamos el festival cultural donde expusimos gráficas, álbumes fotográficos, textos y danzas que reflejaron las características y la cultura del grupo afromexicano. Ojalá ustedes también me puedan enviar el resultado de sus proyectos para conocer más de nuestro variado México.

Un abrazo, Donají.

Responder → Reenviar

Lo que aprendí

Lee el siguiente texto y realiza las actividades que se te solicitan:

¡Hola! Soy Marco, estudio en cuarto grado de primaria. En la escuela la profesora nos enseñó la importancia de cuidar el agua y no contaminarla; para colaborar con posibles soluciones, nos pidió que realizáramos un proyecto por equipos sobre este tema.

Primero nos organizamos para planear, decidimos las metas y nos asignamos las tareas para investigar, identificar los recursos necesarios, los tiempos para su realización y pusimos manos a la obra, investigamos en libros, Internet, revistas y entrevistamos a algunas personas; así recabamos mucha información de tipo textual, estadística, gráfica, entre otros.

Con la información que obtuvimos, realizamos una clasificación, definimos cuál nos servía y cuál no y cómo la íbamos a organizar para presentarla, unos escribieron e hicieron tablas, y otros elaboraron resúmenes y dibujos.

Por último, decidimos presentar por equipo los resultados en un mural de difusión que se expuso fuera de la escuela para involucrar a la comunidad. Para presentar la información en el mural, dividimos el espacio disponible en tres secciones:

- La falta de agua potable y aguas contaminadas.
- Inundaciones y enfermedades, y las medidas para prevenirlas.
- La importancia de adquirir una cultura para mitigar los problemas anteriores.

Hubo muchas personas interesadas en realizar algunas de las acciones propuestas en el mural, lo cual nos dio mucho gusto.

Dibuja símbolos que representen los problemas ambientales y sociales que se mencionan en el proyecto de Marco y que estudiaste en este mismo bloque.

Distingue con colores, sobre el texto anterior, los momentos o etapas de un proyecto como el que realizaste en la lección 4 de este bloque.

Mis logros

Lee el texto y contesta las preguntas:

Melina encontró en la página de Secretaría de Medio Ambiente y Recursos Naturales (Semarnat) lugares interesantes para visitar, como el Parque Nevado de Colima: "El parque colinda con el estado de Jalisco. Se llega hasta la estación biológica de La Joya por la carretera que entronca en Ciudad Guzmán. Es un lugar ideal para acampar y practicar el montañismo; cuenta con vistas impresionantes, y aunque puede ser un poco frío, se recomienda para paseos de un día entero y acampar una noche, de camino hacia las faldas del Volcán de Fuego."

◈ Fuente: http://www.semarnat.gob.mx/educacionambiental/Paginas/inicio.aspx

1. En el parque que quiere conocer Melina se localiza el volcán de Fuego que es activo, representa un desastre de:
   a) Origen social.
   b) Origen natural.
   c) Origen natural y social.
   d) Ninguno de los dos.

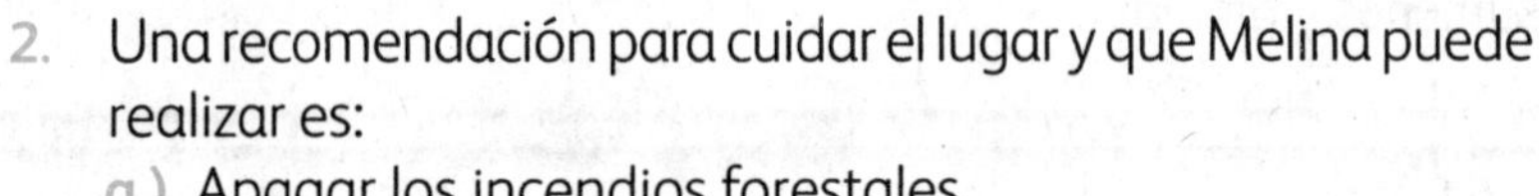

2. Una recomendación para cuidar el lugar y que Melina puede realizar es:
   a) Apagar los incendios forestales.
   b) Evitar la venta de animales en peligro de extinción.
   c) Recoger la basura y no llevarse plantas y animales del lugar.
   d) Ninguna, en el lugar hay personas que cuidan el lugar.

3. Algunas medidas para prevenir cualquier tipo de desastre son:
   a) Acudir a un refugio temporal y seguro, cada integrante de la familia se hace responsable de algo.

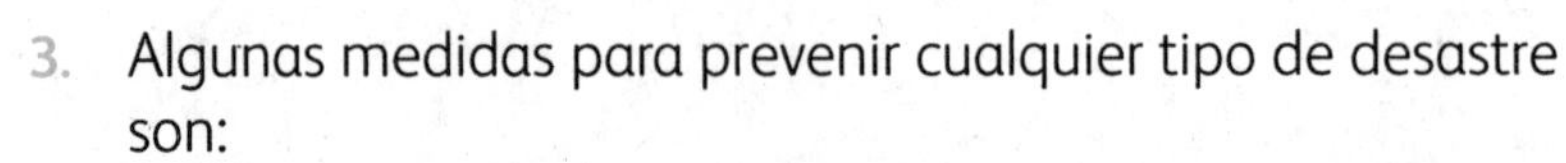

   b) Llamar a los familiares para reunirlos en casa, salir cuando estén todos.
   c) Pedir ayuda a los vecinos y ayudarlos.
   d) Reunirse en casa para escuchar por el radio y la televisión lo que está ocurriendo.

4. Son indicadores que se toman en cuenta para saber la calidad de vida de las personas.
   a) La educación, la vivienda y la salud.
   b) El número de integrantes de una familia.
   c) El tipo de material con que se construyen las viviendas.
   d) La esperanza de vida y la entidad donde viven.

Autoevaluación

Es tiempo de que evalúes lo que has aprendido en este bloque. Lee cada enunciado y marca con una palomita (✓) el nivel que hayas alcanzado.

Aspectos a evaluar	Lo hago bien	Lo hago con dificultad	Necesito ayuda para hacerlo
Distingo las características sociales y económicas que definen la calidad de vida.			
Identifico los contrastes en la calidad de vida de la población en distintas entidades del país.			
Reconozco las causas y consecuencias de los principales problemas ambientales que ocurren en México.			
Distingo los tipos de desastres más frecuentes en México.			
Identifico los pasos a seguir en un proyecto de investigación.			

Escribe una situación en la que apliques lo que aprendiste, hiciste e investigaste en este bloque.

____

____

Aspectos a evaluar	Siempre	Lo hago a veces	Difícilmente lo hago
Reflexiono sobre la importancia de reducir los efectos de los problemas ambientales de México.			
Reconozco la necesidad de prevenir los desastres a partir del estudio de sus consecuencias.			
Valoro la importancia de trabajar en un equipo para el desarrollo de un proyecto de interés local.			

Me propongo mejorar en: ____

ANEXO

Nota: El número de página en color rojo indica la actividad donde utilizarás el mapa.

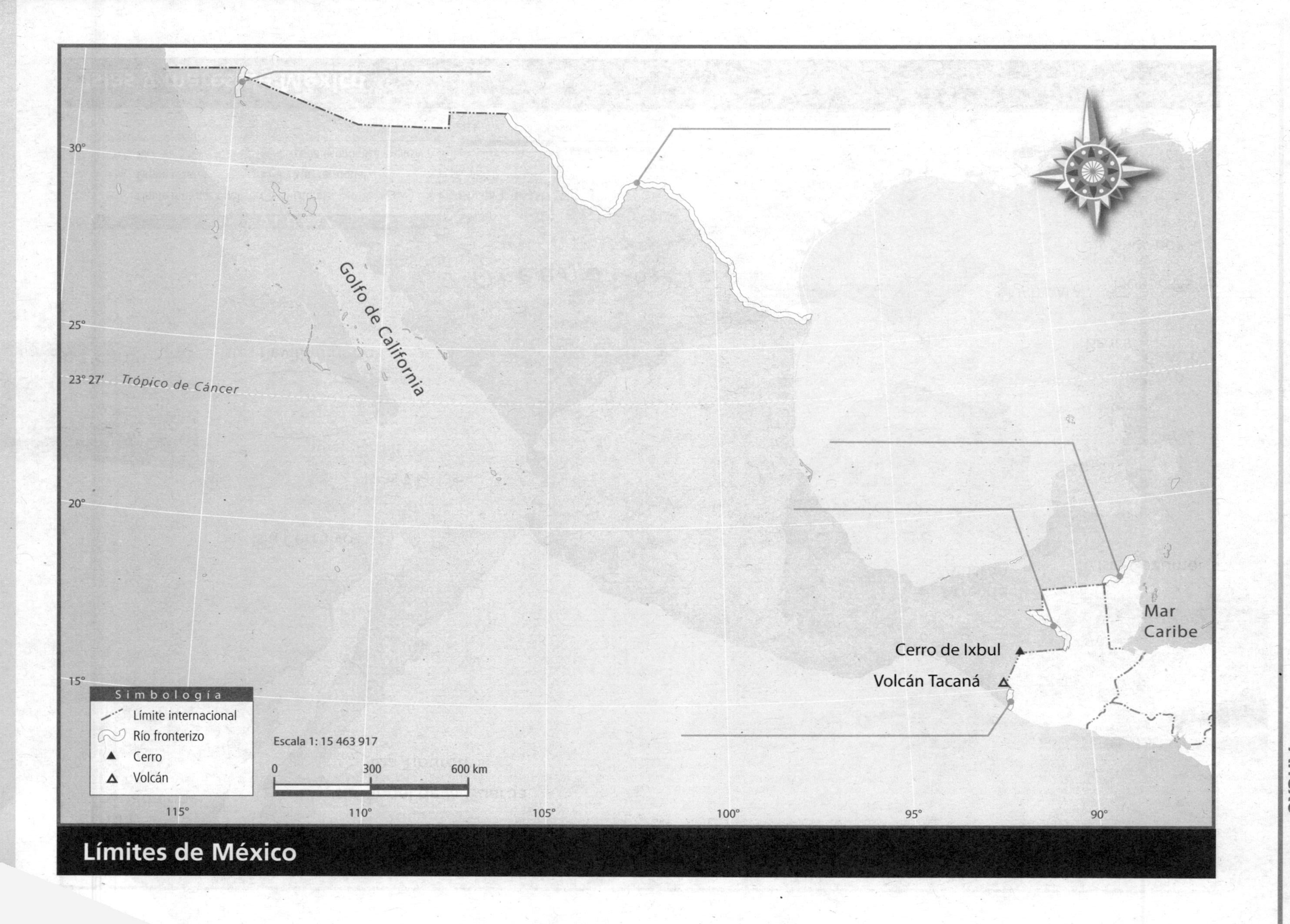

Límites de México

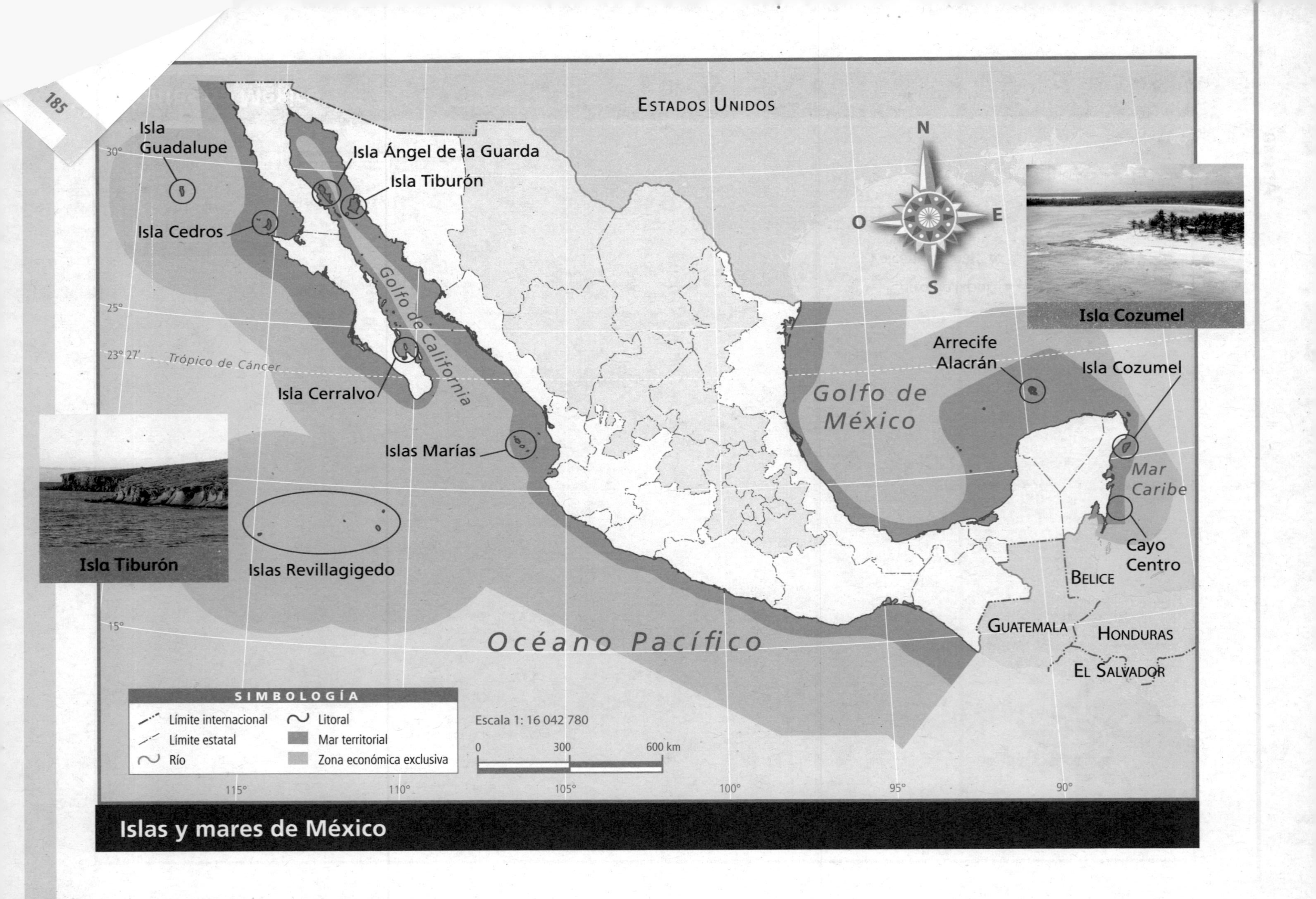

Isla Cozumel

Isla Tiburón

Islas y mares de México

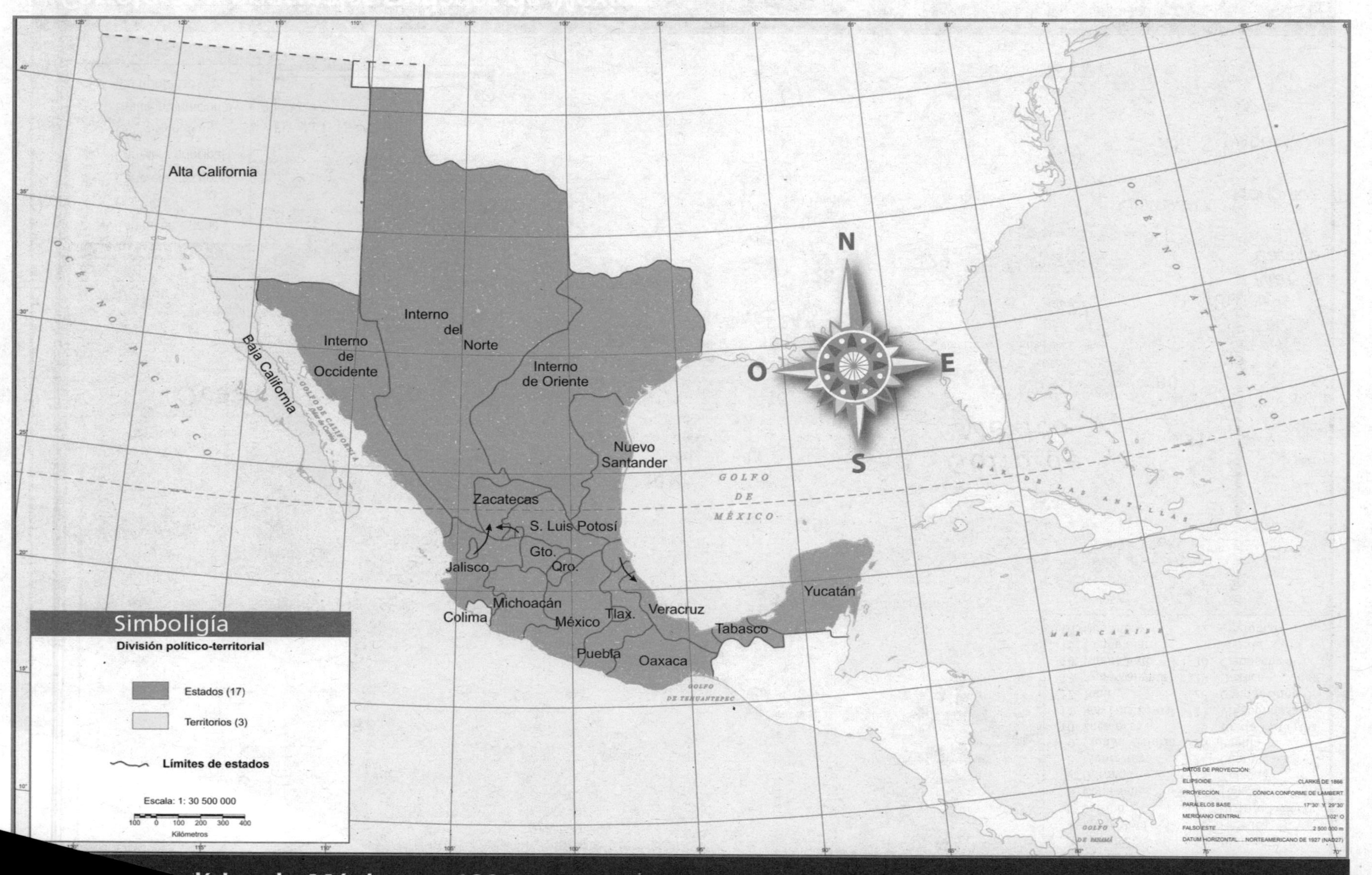
Alta California
Baja California
Interno de Occidente
Interno del Norte
Interno de Oriente
Nuevo Santander
Zacatecas
S. Luis Potosí
Gto.
Qro.
Jalisco
Colima
Michoacán
México
Tlax.
Veracruz
Puebla
Oaxaca
Tabasco
Yucatán
N
S
E
O
OCÉANO PACÍFICO
OCÉANO ATLÁNTICO
GOLFO DE MÉXICO
GOLFO DE CALIFORNIA
MAR DE LAS ANTILLAS
MAR CARIBE
GOLFO DE TEHUANTEPEC
Simboligía
División político-territorial
Estados (17)
Territorios (3)
Límites de estados
Escala: 1: 30 500 000
100 0 100 200 300 400
Kilómetros
DATOS DE PROYECCIÓN:
ELIPSOIDE CLARKE DE 1866
PROYECCIÓN CÓNICA CONFORME DE LAMBERT
PARALELOS BASE 17°30' Y 29°30'
MERIDIANO CENTRAL 102° O
FALSO ESTE 2 500 000 m
DATUM HORIZONTAL NORTEAMERICANO DE 1927 (NAD27)
...lítica de México en 1824

Carreteras y principales ciudades de México

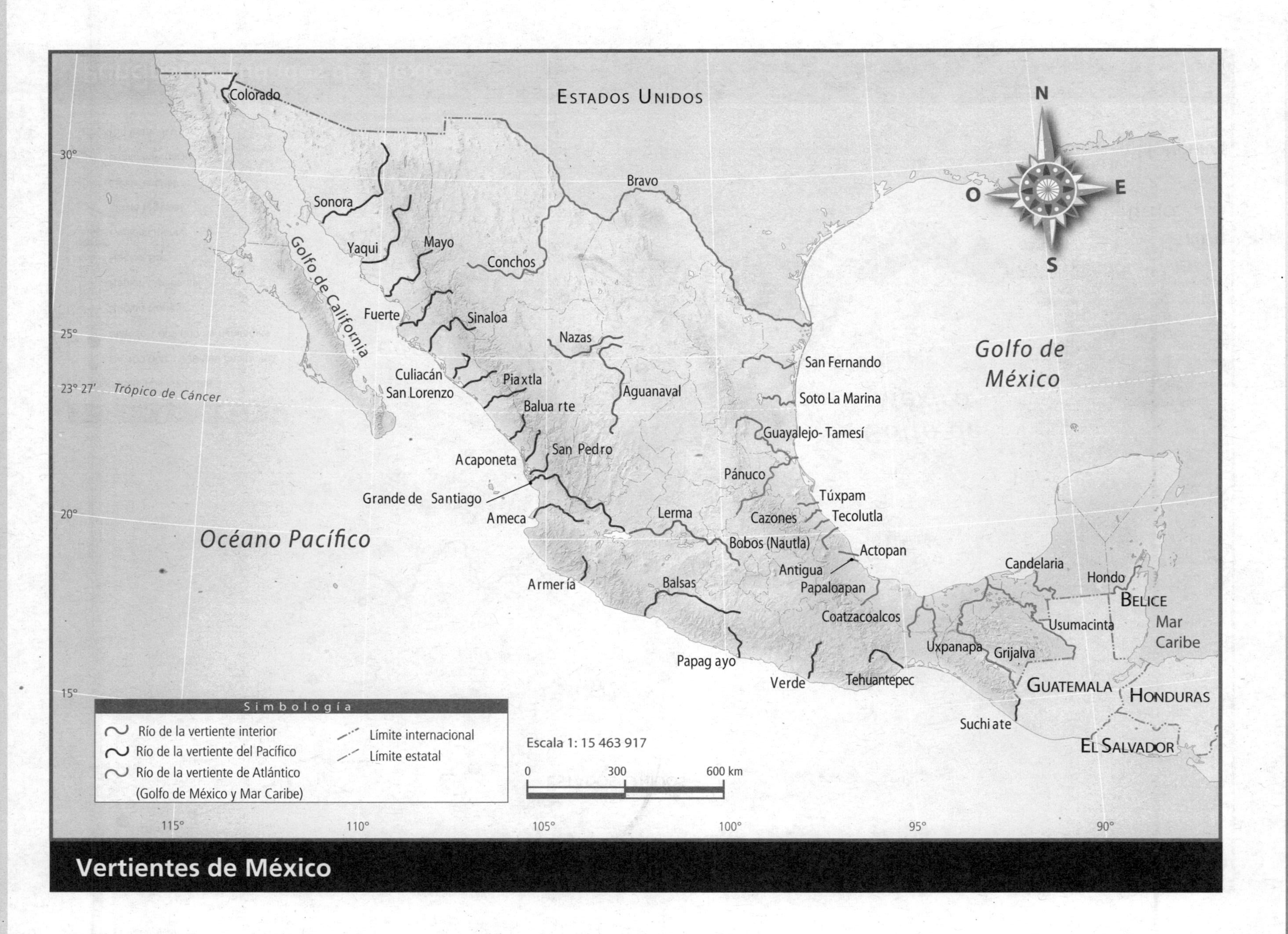

Vertientes de México

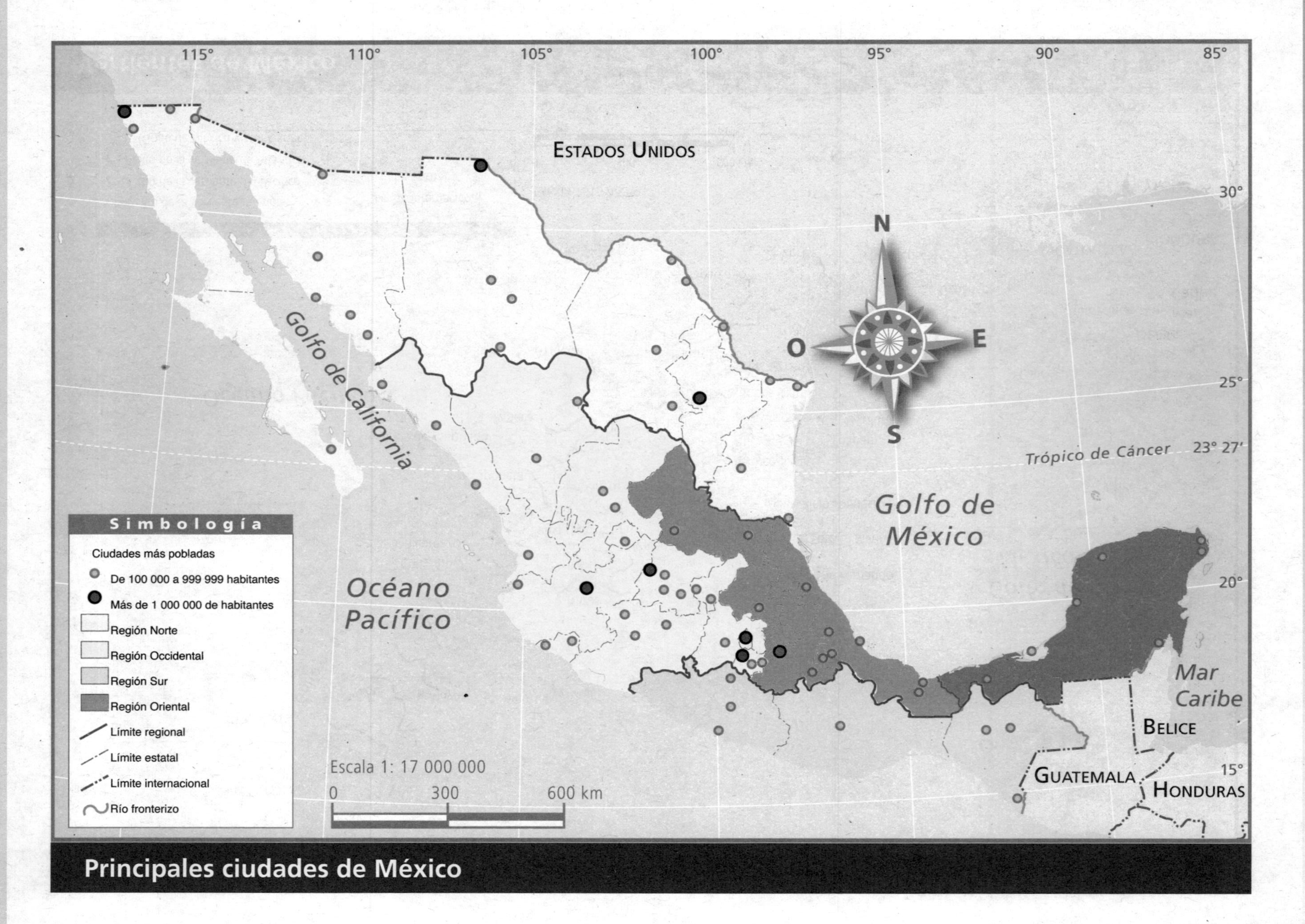

Principales ciudades de México

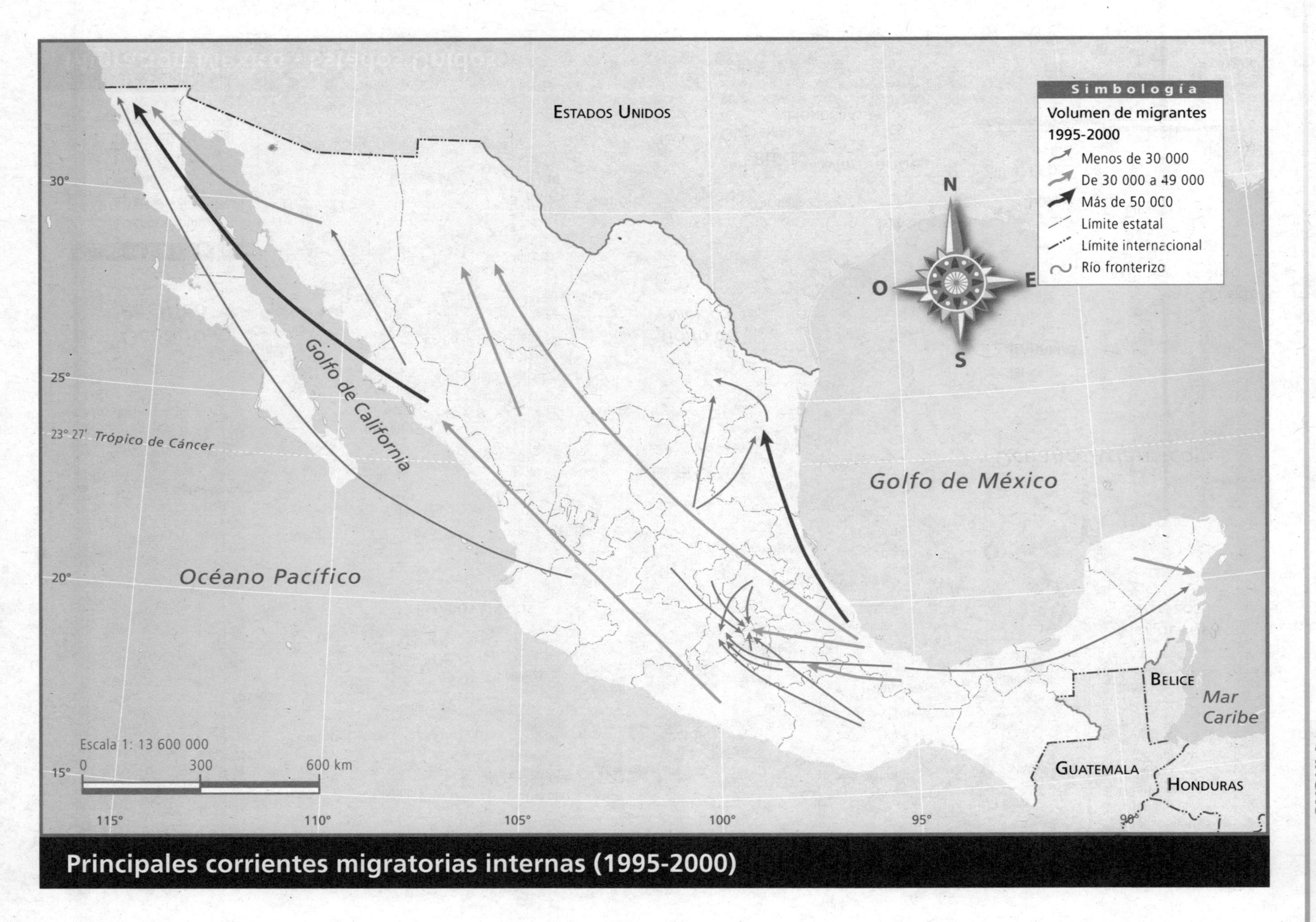

Principales corrientes migratorias internas (1995-2000)

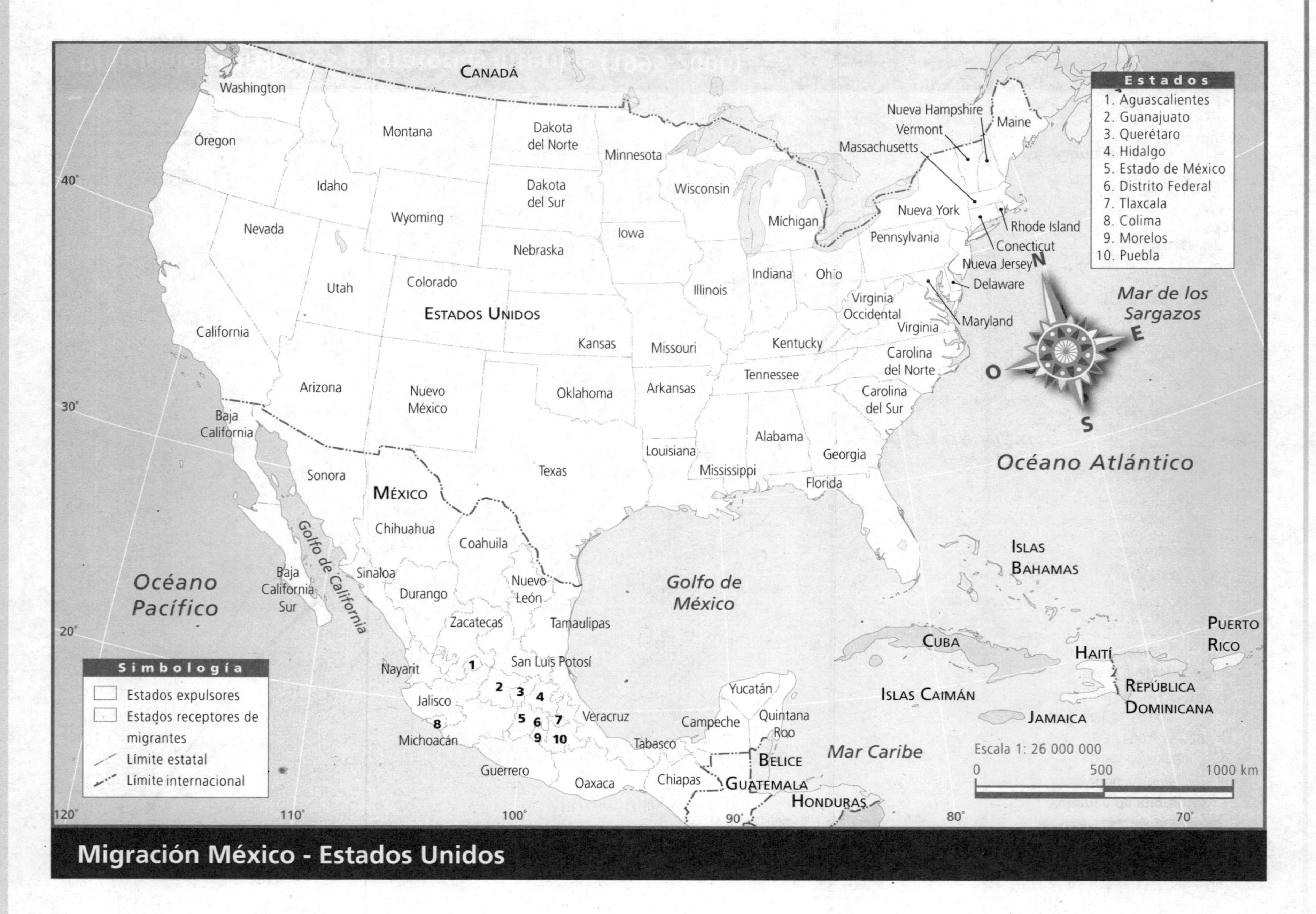
Canadá
Estados Unidos
México
Washington
Óregon
California
Idaho
Nevada
Montana
Wyoming
Utah
Arizona
Colorado
Nuevo México
Dakota del Norte
Dakota del Sur
Nebraska
Kansas
Oklahoma
Texas
Minnesota
Iowa
Missouri
Arkansas
Louisiana
Wisconsin
Illinois
Michigan
Indiana
Ohio
Kentucky
Tennessee
Mississippi
Alabama
Georgia
Florida
Carolina del Sur
Carolina del Norte
Virginia
Virginia Occidental
Pennsylvania
Nueva York
Nueva Hampshire
Vermont
Massachusetts
Maine
Rhode Island
Conecticut
Nueva Jersey
Delaware
Maryland
Baja California
Baja California Sur
Sonora
Chihuahua
Coahuila
Sinaloa
Durango
Nuevo León
Tamaulipas
Zacatecas
San Luis Potosí
Nayarit
Jalisco
Michoacán
Guerrero
Oaxaca
Veracruz
Tabasco
Chiapas
Campeche
Yucatán
Quintana Roo
1
2
3
4
5
6
7
8
9
10
Belice
Guatemala
Honduras
Cuba
Islas Caimán
Jamaica
Haití
República Dominicana
Puerto Rico
Islas Bahamas
Océano Pacífico
Golfo de California
Golfo de México
Mar Caribe
Océano Atlántico
Mar de los Sargazos
N
S
E
O
Estados
1. Aguascalientes
2. Guanajuato
3. Querétaro
4. Hidalgo
5. Estado de México
6. Distrito Federal
7. Tlaxcala
8. Colima
9. Morelos
10. Puebla
Simbología
Estados expulsores
Estados receptores de migrantes
Límite estatal
Límite internacional
Escala 1: 26 000 000
0
500
1000 km
40°
30°
20°
120°
110°
100°
90°
80°
70°
Migración México - Estados Unidos

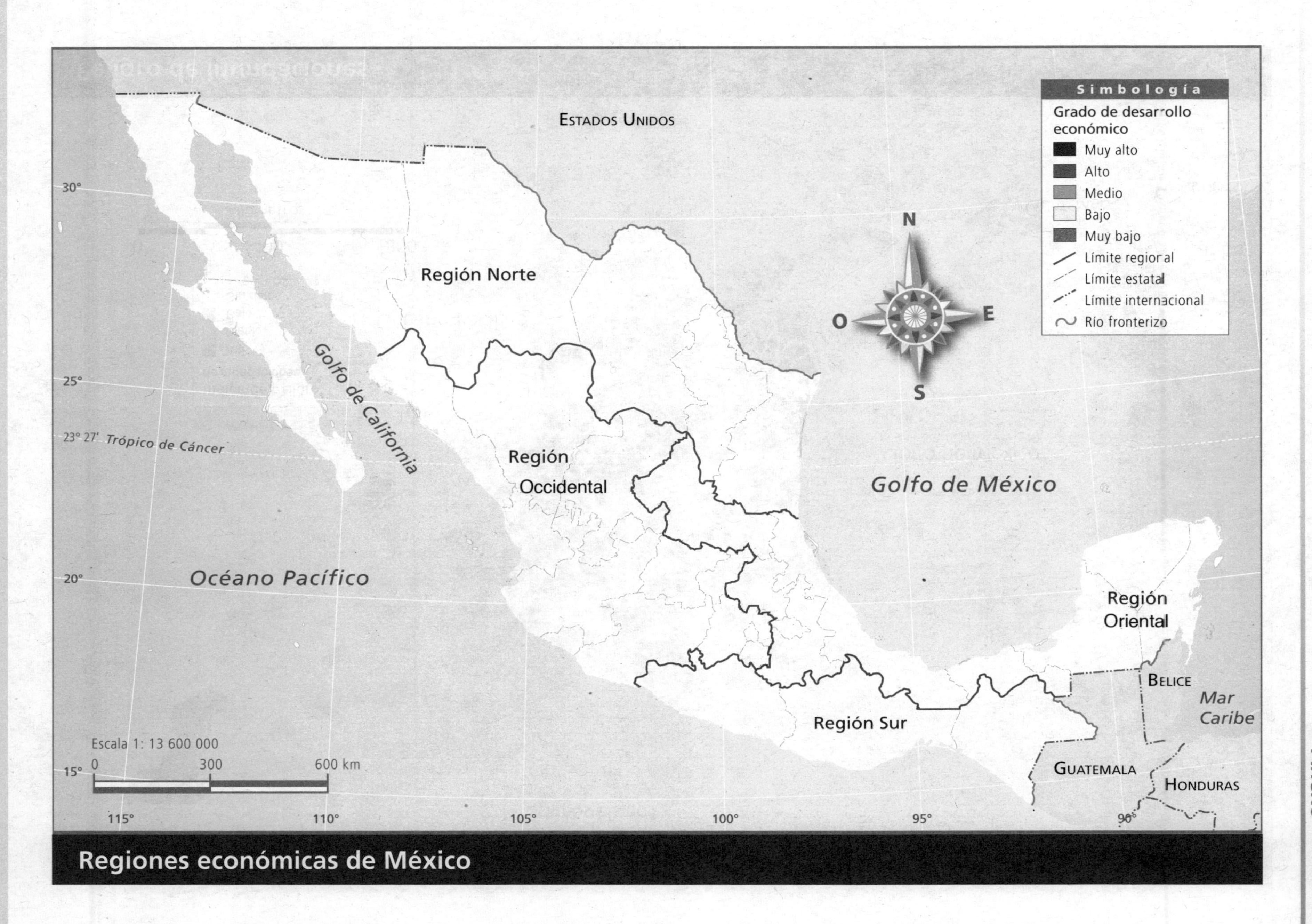

Regiones económicas de México

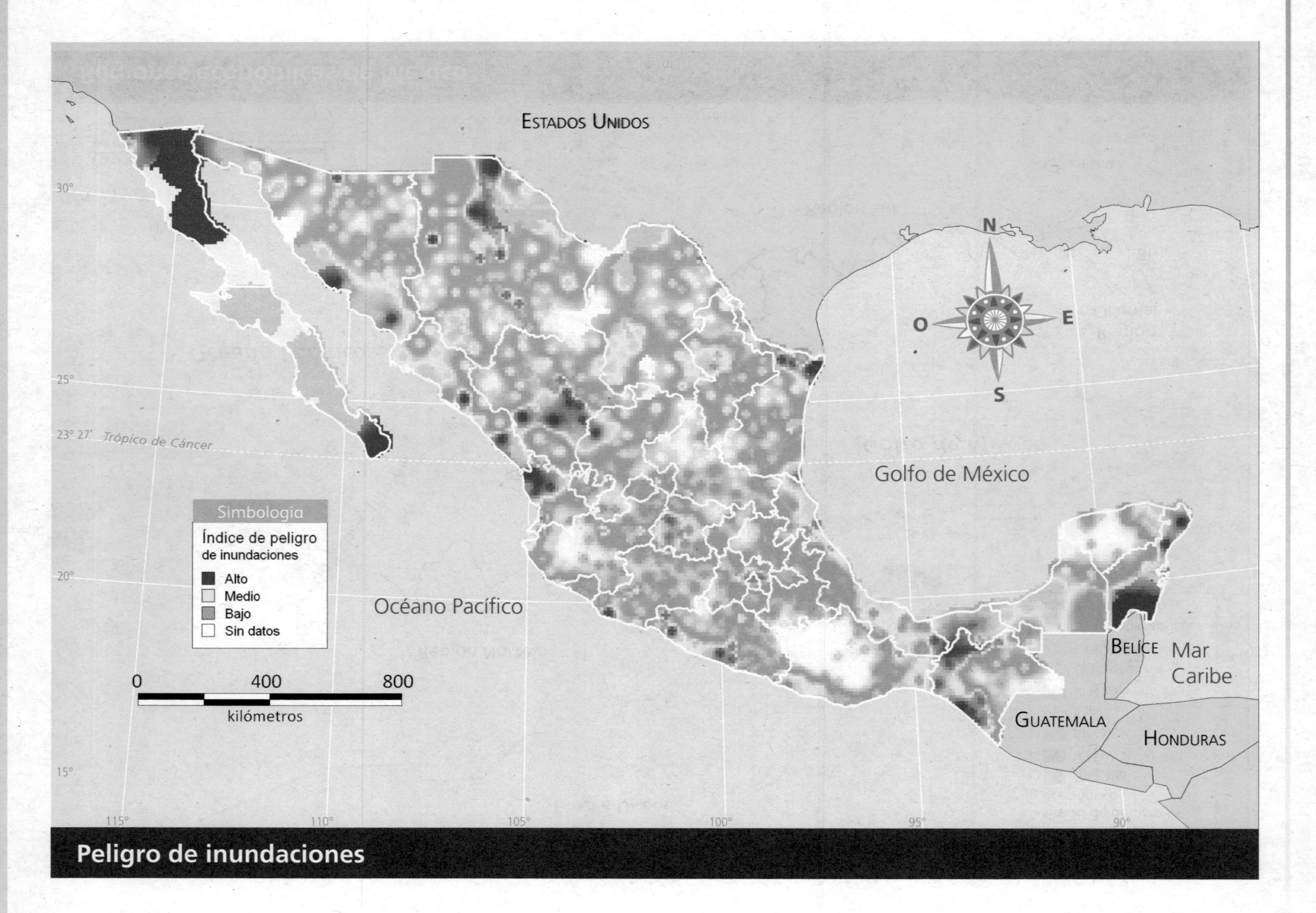

Peligro de inundaciones

Bibliografía

Anzaldo, Carlos y Minerva Prado, *Índices de marginación 2005*, México, Consejo Nacional de Población, 2005.

Atlas geográfico del medio ambiente y recursos naturales, México, Secretaría de Medio Ambiente y Recursos Naturales, 2006.

El sector alimentario en México, México, Instituto Nacional de Estadística, Geografía e Informática, 2006 (Serie: Estadísticas sectoriales).

Estadísticas del comercio exterior de México, México, Instituto Nacional de Estadística, Geografía e Informática, 2005.

Flores Dávila, Julia Isabel, *Afrodescendientes en México; reconocimiento y propuestas antidiscriminación*, México, Consejo Nacional de Población, 2006 (Estudios 2006).

Giménez, Gilberto, "La frontera norte como representación y referente cultural en México", en *Cultura y Representaciones Sociales*, revista electrónica de Ciencias Sociales, México, año 2, núm. 3, septiembre 2007, pp. 17-34.

Hathway, James A., *Historia de los mapas*, trad. de Ileana Vidaurri, México, Novaro, 1969 (Libros de oro del saber).

La diversidad biológica de México. Estudio de país, México, Comisión Nacional para el Conocimiento y Uso de la Biodiversidad, 1998.

Libro para el Maestro. Geografía. Educación Secundaria, México, Secretaría de Educación Pública, 2000.

Lugo Hubp, José, *La superficie de la Tierra. I. Un vistazo a un mundo cambiante*, México, Fondo de Cultura Económica 1998 (La ciencia para todos, 54).

Los mapas, México, Reader's Digest, 1997 (Serie: Haz que funcione).

Los ríos, México, Reader's Digest, 1997 (Serie: Haz que funcione).

Strahler, Arthur y Alan H. Strahler, *Geografía física*, 3ª ed., Barcelona, Ediciones Omega, 1989.

¿Y el medio ambiente? Problemas en México y el mundo, México, Secretaría de Medio Ambiente y Recursos Naturales, 2007.

Sitios de Internet

Aula Intercultural, http:// www.aulaintercultural.org.

Comisión Nacional para el Desarrollo de los Pueblos Indígenas, http://www.cdi.gob.mx.

Centro Nacional de Prevención de Desastres, http://www.cenapred.gob.mx.

Comisión Nacional del Agua, Subgerencia de Información Geográfica del Agua (SIGA), http://siga.cna.gob.mx.

Comisión Nacional para el Conocimiento y Uso de la Biodiversidad, http://www.conabio.gob.mx.

Comisión Nacional Forestal, http://www.conafor.gob.mx.

Dirección General de Culturas Populares, http://www.culturaspopulareseindigenas.gob.mx.

"Evolución de las ciudades de México (1950-1990)", en http://www.inegi.org.mx/inegi/contenidos/espanol/prensa/contenidos/articulos/geografica/ciudades.pdf

"Educación ambiental esencial en San Juan Nuevo. Los habitantes orgullosos de su trabajo en favor del bosque", recuperado el 3 de julio de 2009, en http://www.cambiodemichoacan.com.mx/imprime.php?id=62773

Hernández, Juan Carlos, "La distribución territorial de la población rural en la situación demográfica de México", en Consejo Nacional de Población, 2003, http://www.conapo.gob.mx/publicaciones/sdm/sdm2003/05.pdf.

"In Pictures: Ghost Cities of 2100", en http://www.forbes.com/2007/06/11/ghost-cities-future- bizcx_21cities_ee_0611ghostcities_slide_5.html?thisSpeed=8000, consultado el 10 de noviembre de 2007.

Instituto Latinoamericano de la Comunicación Educativa, Ventana a mi comunidad, http://ventana.ilce.edu.mx.

Instituto Nacional de Estadística Geografía e Informática, http://www.inegi.org.mx.

Instituto Nacional de Estadística Geografía e Informática, Cuéntame, información para niños y no tan niños, http://cuentame.inegi.gob.mx.

"Productos principales que exporta e importa México (año 2005)", 2005, en http://cuentame.inegi.org.mx/economia/terciario/comercio/default.aspx?tema=E#.liografia.

Secretaría de Medio Ambiente y Recursos Naturales, http://www.semarnat.gob.mx.

"Segundo Conteo de Población y Vivienda 2005", 2005, en http://www.inegi.org.mx/inegi/contenidos/espanol/prensa/Contenidos/estadisticas/2007/Poblacion07.pdf

Sistema Nacional de Protección Civil, http://www.proteccioncivil.gob.mx.

Créditos iconográficos

Ilustración:
Herenia González Zúñiga: **pp. 46, 53, 54, 62, 75-79, 142, 162-163**; Beatrix Gutiérrez de Velazco Verduzco: **p. 71**; Gerardo Vaca Presbítero: **p. 88**, serie de dos ilustraciones sobre la densidad de población, 2009.
Mapas:
Magdalena Juárez Vivas

Fotografía

pp. 8-9: imagen tridimensional de la ciudad de Guadalajara, Jalisco, y sus alrededores, compuesta con datos satelitales y topográficos, Earth Observatory, NASA; **p. 10**: Palacio Municipal, Pinotepa Nacional, Oaxaca, fotografía: Salatiel Barragán Santos; **p.11**: globo terráqueo © Other Images; **p. 13**: (arr.) frontera Guatemala-México, fotografía: Fernando Reyes, licencia Creative Commons Genérica de Atribución / Compartir-Igual 2.0; (ab.) frontera entre Nuevo Laredo y Texas © Latinstock; **p. 16**: cascada Tamul © Photo Stock; **pp. 18 y 187**: mapa de México, 1824, Jorge Sandoval Mina *et al.*, *Nuevo atlas nacional de México*, México, Instituto de Geografía-UNAM, 2010 (versión electrónica); **p. 21**: rompecabezas de México, fotografías: Iliana Moreno Guzmán; **p. 22**: Guaymas, Sonora, fotografía: David Merel; **p. 23**: carta topográfica 1:50000, Guaymas G12B11, Sonora, Inegi; **p. 24**: niños observando mapa, fotografía: Martín Córdova Salinas; **p. 25**: (arr.) rosa de los vientos en una base aérea de California, Estados Unidos, fotografía: Carla Thomas, Dryden Flight Research Center Photo Collection, NASA; (ab.) mapa de Quechultenango, Colotipla y Chilapa, Guerrero, Archivo General de la Nación, 1559, Tierra: vol. 2676, exp. 3, f. 13, anónimo (1652); **p. 27**: (arr.) plano de Guaymas, Sonora escala1:18000, fuente: Inegi; (ab.) vista aérea de Guaymas, Sonora, Licencia de uso Creative Commons;; **p. 30**: Río Usumacinta, Chiapas, fotografía: Kary Cerda; **p. 31**: (arr. izq.) paisaje desértico de Chihuahua; (arr. der.) Cañón del Sumidero, Chiapas, fotografías: Raúl Barajas, Archivo Iconográfico DGME/SEP; (centro izq.) olla de barro negro, Oaxaca; (ab. der.) paisaje, Estado de México; (ab. izq.) danza de los viejitos © Photo Stock; **p.34**: (izq.) pastizal en Chihuahua © Photo Stock; (der.) montañas Septentrión, Chihuahua, fotografía: Salatiel Barragán Santos; **p. 35**: (arr. izq.) rarámurs; (arr. der) niños lacandones; (ab. izq.) niña huasteca, fotografías: Bob Schalkwijk; **p. 35**: (ab. der.) niño mayo, fotografía: Raúl Barajas; **p. 36**: (arr. izq.) niña tzotzil; (arr. der.) niñas rarámuris © Photo Stock; (ab.) niña triqui, fotografía: Bob Schalkwijk; **p. 37**: (arr. izq.) niño maya, fotografía: Rolando White; (der.) niños huicholes, fotografía: Bob Schalkwijk; (ab. izq.) niña zapoteca © Other Images; **p. 39**: campesino © Latinstock; **p. 40**: (arr.) niña huasteca, fotografía: Bob Schalkwijk; (ab.) rosa de los vientos en una base aérea de California, Estados Unidos, fotografía: Carla Thomas, Dryden Flight Research Center Photo Collection, NASA; **pp. 42-43**: Yucatán, fotografía: Rolando White; **p. 44**: San Juan Paricutín © Photo Stock; **p. 45**: río El naranjo, San Luis Potosí, fotografía: Salatiel Barragán Santos; **p. 47**: (arr. izq.) Cañón del Sumidero, Chiapas, fotografía: Bob Schalkwijk; (centro izq.) Barranca del Cobre, Chihuahua © Glow Images; (ab. der.) Popocatépetl, fotografía: Rolando White; **p. 48**: (arr.) cenote © Latinstock; (centro der.) Chihuahua; (ab. izq.) costa del Pacífico, fotografías: Bob Schalkwijk; **p. 49**: (arr.) grutas, Nuevo León, fotografía: Bob Schalkwijk; (centro) Acapulco, fotografía: Carlos Varillas; (ab.) Mulugé, Baja California © Other Images; **p. 51**: maquetas de relieves, fotografía: Manuel Edmundo Meza Coriche; **p. 52**: (izq.) atardecer en el río Soto la Marina, Tamaulipas, fotografía: Beto Cavazos; (der.) río Guayalejo, Tamaulipas © Photo Stock; **p. 55**: Las nubes, Chiapas, fotografía: Bob Schalkwijk; **p. 58**: planta hidroeléctrica © Photo Stock; **p. 60**: (arr.) Huasteca hidalguense, fotografía: Salatiel Barragán Santos; (centro) Mineral del Chico, Hidalgo © Photo Stock; (ab.) Los viejitos, Barranca de Meztitlán, Hidalgo, fotografía: Víctor Ortiz Aladro; **p. 61**: (arr. izq.) Barranca de Meztitlán; (der.) Parque Nacional, Meztitlán, Hidalgo; (ab. izq.) Mineral del Chico, Hidalgo, fotografías: Víctor Ortiz Aladro; (ab. izq.) Mineral del Chico, Hidalgo, fotografías: Víctor Ortiz Aladro; **p. 63**: (izq.) El Porvenir, Chiapas © Photo Stock; (der.) bosque templado, fotografía: Mito Covarrubias; **p. 64**: (arr.) quetzal, fotografía: Fabio Bretto; (ab.) pastizales, Chihuahua, fotografía: Gerardo Ceballos © Banco de Imágenes Conabio; **p. 65**: (arr.) liebre © Photo Stock; (ab.) Tehuacán, Puebla, fotografía: Carlos Varillas; **p. 66**: (arr.) tucán (*Ramphastos sulfuratus*) México y Centroamérica, fotografía: Gerry Ellis, National Geographic; (ab.) bosque deforestado y quemado para plantación de maíz, fotografía: Stephen Álvarez, National Geographic; **p. 67**: (arr.) San Luis Potosí, fotografía: Efraín Hernández Xolocotzin © Banco de Imágenes Conabio; (ab.) selva húmeda, fotografía: Patricia Lagarde, Archivo Iconográfico DGME/SEP; **p. 68**: (de arr. hacia ab. y de izq. a der.) teporingo, fotografía: Miguel Ángel Torres Quiroga; cotorra de frente amarilla, fotografía: Rolando White; lobo gris mexicano en cautiverio, fotografía: Joel Sartore, National Geographic; *Glaucidium gnoma*, fotografía: Darlyne A. Murawski, National Geographic; berrendo, fotografía: Dan (Twiga Swala); *Carduelis tristis*, fotografía: Konrad Wothe, National Geographic; quetzal, fotografía: Wes Hanson; perrito de las paraderas, fotografía: Ryan Ladbrook; jaguar (*Panthera onca*), fotografía: Michael y Patricia Fogden, National Geographic; **p. 70**: (arr.) iglesia de Creel, fotografía: Bob Schalkwijk; (centro) Cascada de Cusárare, fotografía: Mito Covarrubias; (ab.) El divisadero, fotografía: Bob Schalkwijk; **p. 72**: (arr. izq.) uso agrícola, fotografía: Bob Schalkwijk; (arr. der.) lavándose las manos © Latinstock; (ab. izq.) uso de transporte; (ab. der) uso industrial, fotografías: Bob Schalkwijk; **p. 73**: (arr. izq.) presa La Angostura, fotografía: Alfonso Vásquez; (arr. der), Central Hidroeléctrica El Cajón, Santa María del Oro, Nayarit, fotografía: Comisión Federal de Electricidad; (ab. izq.) géiser en Cozumel © Other Images; (ab. der.) manantiales de agua salobre, Estado de México, fotografía: Salatiel Barragán Santos; **p. 74**: (arr.) Península de Yucatán, fotografía: Rolando White; (ab.) Mexicali y Calexico, fotografía: Karen Kasmauski, National Geographic; **p. 80**: (de izquierda a derecha en sentido de las manecillas del reloj) Manzanillo, Colima © Photo Stock; volcán de Colima © Latinstock; laguna Cuyutlán, fotografía: Salatiel Barragán Santos; limones © Photo Stock; quiosco de Tecomán, Colima, fotografía: Salatiel Barragán Santos; banco de peces © Latinstock; selva baja de Tecomán, Colima, fotografía: Salatiel Barragán Santos; palmeras © Photo Stock; **p. 81**: (arr.) nubes, Chiapas, fotografía: Bob Schalkwijk; (centro) quetzal, fotografía: Fabio Bretto; (ab.) selva húmeda fotografía: Patricia Lagarde, Archivo Iconográfico DGME/SEP; **p. 84**: (arr. izq.) aniversario nacional de charros, Ciudad de México; (arr. centro) baile tradicional, Guelaguetza, Oaxaca, fotografías: Carlos Hahn; (arr. izq.) niño rarámuri, fotografía: Raúl Barajas, Archivo Iconográfico DGME/SEP; (ab. izq.) fiestas, Basílica de Guadalupe, fotografía: Carlos Hahn; (ab. centro) chinelos, fiesta de la virgen de Guadalupe, Malinalco, Estado de México, fotografía: Jill Hartley; (ab. der.) baile tradicional, Guelaguetza, Oaxaca, fotografía: Carlos Hahn; **p. 85**: (arr. izq.) danza tradicional, México © Latinstock; (arr. centro) banda escolar, Villa Guerrero, Estado de México, fotografía: Carlos Hahn; (arr. der) Los sayones, Semana Santa en Tetela de Volcán, Morelos, fotografía: Jill Hartley; (ab. izq.) Guelaguetza, Oaxaca, fotografía: Carlos Hahn; (ab. centro) danzón, Veracruz; (ab. der.) quinceañera, México, D.F., fotografías: Carlos Hahn; **p. 86**: (arr.) olla de cerámica de petatillo, Tonalá, Jalisco, Urs Graf; (centro) alfarero, Tonalá, fotografía: José Bernabé, Urs Graf; (ab.) Museo Nacional de Cerámica de Tonalá © Photo Stock; **p. 87**: panorámica de la ciudad de Zacatecas, fotografía: Manuela Trapp; **p. 88**: vista panorámica del acueducto, Querétaro, fotografía: Carlos Hahn; **p. 90**: (arr.) Angangueo, Michoacán © Photo Stock; (centro) El Roble, Nayarit, fotografía: Laura Rojas Paredes © Banco de Imágenes Conabio; (ab.) zona habitacional, Lechería, Estado de México, fotografía: Carlos Hahn; **p. 92**: parque Alcalde, Guadalajara, Jalisco, fotografía: Victor Alain Ibáñez Fernández; **p. 93**: indígenas, Zócalo, Ciudad de México, fotografía: Carlos Hahn; **p. 95**: (arr.) población mexicana; (ab.) Zacatecas © Photo Stock; **p. 96**: (arr. izq.) niño haciendo nebulizaciones © Photo Stock; (arr. der.) basura en el centro de Tlalpan, fotografía: Azul Morris; (ab. izq.) Metro, Ciudad de México © Other Images; (ab. der.) conjunto habitacional en Iztapaluca, Estado de México, fotografía: Martín Córdova Salinas; **p. 97**: (arr.) comunidad rural en la sierra, fotografía: Martín Córdova Salinas; (ab. izq.) Chiapas; (ab. der.) pueblo de Santa María, Chiapas © Latinstock; **p. 98**: (arr.) agricultor cultivando apios, Tláhuac, Ciudad de México, fotografía: Carlos Hahn; (ab.) campesino con celular © Latinstock; **p. 99**: (izq.) bote de reciclado con botellas; (der.) pilas © Photo Stock; **p. 100**: (arr.) mexicanos en bicicletas en festival en Estados Unidos © Latinstock; (ab.) banda de músicos norteños © Photo Stock; **p. 101**: Valle de San Quintín, Ensenada, Baja California,

Archivo Iconográfico DGME/SEP; **p. 103:** (arr.) recolectores llenando cajas con lechugas © Photo Stock; (ab.) hotel y crucero, Cabo San Lucas, Baja California Sur, fotografía: Carlos Hahn; **p. 104:** frontera de Tijuana © Photo Stock; **p. 106:** (arr.) artesana con huipil amuzgo, fotografía: Juliana Marinoni; (ab.) mujeres de Acatlán, Guerrero, fotografía: Adalberto Ríos; **p. 107:** (arr.) altar de muertos, fotografía: Azul Morris; (ab.) danzas aztecas, Zócalo, Ciudad de México, fotografía: Carlos Hahn; **p. 108**, indígena cora, fotografía: Manuela Trapp; **p. 109:** (arr.) chiles en nogada, platillo regional poblano, fotografía: Michel Zabé; (ab. izq.) concurso para grafiteros, Estadio Azteca, Ciudad de México, fotografía: Carlos Hahn; (ab. der.) hombre © Latinstock; **p. 110:** (arr.) mujer preparando enchiladas; (ab.) tarahumaras © Photo Stock; **p. 111:** (izq.) Mérida, Yucatán © Other Images; (der.) casas de adobe en el Chico, Hidalgo, fotografía: Salatiel Barragán Santos; **p. 112:** (arr.) zona habitacional, Lechería, Estado de México, fotografía: Carlos Hahn; (centro) Angangueo, Michoacán © Photo Stock; (ab) indígenas, Zócalo, Ciudad de México, fotografía: Carlos Hahn; **p. 114:** (arr. izq.) obreros de la construcción, Ciudad de México; (arr. centro) hombre cultivando flores, Tenancingo, Estado de México; (arr. der.) mujer cocinando gorditas, Ciudad de México; (ab. izq.) montacargas; (ab. centro) Metro, Ciudad de México; (ab. der.) cilindrero, Coyoacán, Ciudad de México, fotografías: Carlos Hahn; **p. 115:** (arr. centro) interior de la Casa de Bolsa, Ciudad de México; (arr. der.) interior de planta petroquímica, Tula, Hidalgo; (ab. centro) detalle de avión; (ab. der.) hortalizas de col, Valle de Toluca, Estado de México, fotografías: Carlos Hahn; **p. 116:** (izq.) playas de Veracruz, fotografía: Carlos Hahn; (der) ganado, fotografía: Carlos Hahn; **p. 117:** (arr. izq.) pescadores en el lago de Pátzcuaro, fotografía: Adalberto Ríos; (arr. der.) ganado Hereford; (ab. izq.) bosque en Alaska © Photo Stock; (ab. der.) plantación de cítricos en Veracruz, fotografía: Adalberto Ríos; **p. 118:** (ab. 3) ato de ocote, fotografía: Víctor Alain Ibáñez Fernández; (de arriba hacia abajo y de izquierda a derecha) vaca; mandarina; queso; café; caña; cerdo; cubos con letras; pescado; camarones © Photo Stock; **p.119:** (de arriba hacia abajo y de izquierda a derecha) maíz; cebada; avena; soya; garbanzos; chícharos; habas; lentejas © Photo Stock; (arr. 2) trigo © Latinstock; (ab. 1) frijol, fotografía: Patricia Lagarde, Archivo Iconográfico DGME/SEP; **p. 120:** (de arriba hacia abajo y de izquierda a derecha) tomate rojo; rábano; lechuga; papa; espinaca; papaya; guayaba; granada; naranjas; chirimoya; coco © Photo Stock; (ab. 1) aguacate, fotografía: Patricia Lagarde, Archivo Iconográfico DGME/SEP; (ab. 3) limón, fotografía: Agustín Estrada, Archivo Iconográfico DGME/SEP; **p. 121:** piña; mango; plátanos; sandia © Photo Stock; **p. 122:** (arr.) ganadería extensiva; (ab.) granja avícola © Photo Stock; (centro) ganado bovino, Jalisco, fotografía: Carlos Hahn; **p. 123:** granja de trucha, Los Azufres, Michoacán, fotografía: Salatiel Barragán Santos; **p. 124:** (izq.) árbol © Photo Stock; (der.) bosque de coníferas, Nevado de Toluca, Estado de México, fotografía: Carlos Hahn; **p. 125:** ruinas de la iglesia de San Juan Parangaricutiro, Michoacán, fotografía: Adalberto Ríos; **p. 126:** (izq.) tiranosaurio *Rex*, Gobierno del Estado de Chihuahua; (der.) planta de carbón © Photo Stock; **p. 127:** (arr. izq.) carbón © Latinstock; (arr. centro) plata; (arr. der) moneda de oro; (abajo izq.) dentadura de yeso; (ab. der.) salero © Photo Stock; **p. 128:** (izq.) industria © Photo Stock; (der.) minas de sal, Guerrero Negro, Baja California, fotografía: Adalberto Ríos; (recuadro) anillo © Photo Stock; anónimo, cabeza masculina sobre "M" entre columnas coronadas, águila explayada, SA/LEZ, plata en su color y plata burilada, col. Museo Franz Mayer, México, hacia 1770-1778, fotografía: Michel Zabé; utensilios de cocina © Photo Stock; batería, fotografía: Gabriel Figueroa y Ricardo Garibay, Archivo Iconográfico DGME/SEP; llave © Photo Stock; cables en terminales © Photo Stock; **p. 129:** dentadura de yeso; salero; tubo de ensayo © Photo Stock; carbón © Latinstock; **p. 130:** (izq.) carbón mineral; (der.) pellets de dióxido de uranio © Photo Stock; **p. 131:** (arr. izq.) tajo de mina; (der.) patio de maniobras de zona minera, fotografías: Adalberto Ríos; (ab. izq.) gises, fotografía: Carlos Hahn; **p. 132:** (izq.) atardecer en el mar © Photo Stock; (der.) Cabo San Lucas © Latinstock; **p. 133:** monedas de plata de la época con *chops* chinos, 1790, sobre un grabado de Mason que representa la batalla entre la nao *Nuestra Señora de Covadonga* y los ingleses, 1821, col. Rodrigo Rivero Lake, México, La nao de China; p. 106, 1998, fotografía: Michel Zabé; **p. 134:** (izq.) transportación de frutas © Photo Stock; (der.) supermercado © Latinstock; **p. 135:** (arr.) fachada del Centro Médico Nacional La Raza, Ciudad de México, fotografía: Raúl Barajas, Archivo Iconográfico DGME/SEP; (centro) Bolsa Mexicana de Valores © Latinstock; (ab.) Ciudad Universitaria © Photo Stock; **p. 137:** (arr.) plataforma petrolera en Campeche © Latinstock; (ab) refinería en Alberta, Canadá © Photo Stock; **p. 138:** (arr. izq.) Cañon del Sumidero, Chiapas; (arr. der.) rapel en Tacotalpa, Tabasco © Photo Stock; (ab. izq.) zona arqueológica maya; (ab. der.) playa del Caribe mexicano, fotografías: Manuela Trapp; **p. 139:** zona hotelera en Cancún, Quintana Roo © Photo Stock; **p. 140:** (izq.) acuario; (der.) mar de Cancún © Photo Stock; **p. 141:** Chiapas, México © Photo Stock; **p. 143:** (arr.) hombre recolectando morrones © Photo Stock; (ab.) escolares, Ciudad de México, fotografía: Heriberto Rodríguez; **p. 144:** escolares, Ciudad de México, fotografía: Heriberto Rodríguez; **p. 145:** niño; niña, fotografías: Kary Cerda; **p. 146:** Chiapas, México © Photo Stock; (ab.) pescadores en lago de Pátzcuaro, Michoacán, fotografía: Adalberto Ríos; **p. 148:** (arr. izq.) Palacio Nacional, Ciudad de México; (arr. centro) laboratorista con microscopio; (arr. der.) obrero de CFE, planta de Tula, Hidalgo; (ab. izq.) quirófano; (ab. centro) río, Valle de Bravo, Estado de México; (ab. der.) escuela, fotografías: Carlos Hahn; **p. 149:** (arr. izq.) planta termoeléctrica, Tuxpan, Veracruz; (arr. der.) barcos camaroneros, Guaymas, Sonora; (ab. izq.) Casa de Bolsa, Ciudad de México; **p. 149:** (ab. der.) antena de comunicaciones, Tulancingo, Hidalgo, fotografía: Carlos Hahn; **p. 150:** (arr.) familia nahua © fotografía: Raúl Barajas, Archivo Iconográfico DGME/SEP; (centro) maestro frente a grupo © Photo Stock; (ab.) Epazoyucan, Hidalgo, fotografía: Salatiel Barragán Santos; **p. 151:** escuela Lic. Benito Juárez, México © Photo Stock; **p. 152:** (izq.) fachadas; (der.) casa de adobe © Photo Stock; **p. 153:** (arr. izq.) colonia Condesa, Distrito Federal, México © Latinstock; (arr. der) Coyoacán, México; (ab. izq.) mujer y niño llegando a su casa © Photo Stock; **p. 154:** (arr.) hombre llenando tinacos con agua; (centro) foco ahorrador; (ab. izq.) torre de alta tensión © Photo Stock; (der.) lavabo © Other Images; **p. 155:** (arr.) Veracruz; (ab.) casa © Latinstock; **p. 156:** (arr.) familia de cinco generaciones, Ciudad de México, fotografía: Heriberto Rodríguez; (izq. centro) tarahumara; (centro) niño; (centro der.) mujer con flores; (ab. izq.) taquero; (ab. centro) mujer mesquite; (ab. der.) anciana © Photo Stock; **p. 157:** (der.) paciente y doctor; (izq.) doctor © Photo Stock; **p. 158:** Ángel de la Independencia, Ciudad de México, fotografía: Carlos Hahn; **p. 159:** lavando ropa en un río © Photo Stock; **p. 160:** (arr.) deforestación en México © Latinstock; (ab.) ingenio azucarero, México © Photo Stock; **p. 161:** (arr.) Río de los Remedios © Latinstock; (ab.) el gran canal © Photo Stock; **p. 164:** panel solar © Photo Stock; **p. 165:** (izq.) basura orgánica; (der.) paneles solares © Photo Stock; **p. 166:** derrumbe en carretera © Photo Stock; **p. 167:** punto de reunión en simulacro, prensa / Secretaría de Protección Civil, GDF; **p. 168:** (arr.) consecuencias de los sismos en la Ciudad de México, 1985, fotografía: Adalberto Ríos; (ab.) huracán © Latinstock; **p. 169:** (arr.) inundaciones en el estado de Tabasco, fotografía: Adalberto Ríos; (ab. izq.) incendio del pozo Ixtoc, bahía de Campeche © Latinstock; (ab. der.) accidente aéreo en helicóptero © Glow Images; **p. 171:** dos fotografías: escolares, Ciudad de México, fotografías: Heriberto Rodríguez; **p. 172:** afro-mestizos de Guerrero, fotografía: Raúl Barajas; **p. 173:** afromexicanos, Oaxaca, fotografía: Adalberto Ríos; **p. 175:** esclavos plantando y cosechando, dibujo de W. Clark, Londres, 1823, fotografía: British Library © Photo Stock; **p. 176:** (arr.) afromexicano preparando una artesa, San Nicolás, Guerrero, fotografía: Heriberto Rodríguez; (ab.) niño Lobi tocando balafon © Photo Stock; **p. 177:** Pinotepa Nacional, fotografía: Salatiel Barragán Santos; **p. 178:** (arr.) afromexicanas, Oaxaca, fotografía: Adalberto Ríos; (ab.) habitante de Chacahua, Oaxaca, fotografía: Jill Hartley; **p. 179:** (arr.) casas de vara y palma; (ab.) tambor djembé africano © Photo Stock; **p. 180:** pareja de afromexicanas ensayando el baile de artesa, San Nicolás, Guerrero, fotografía: Heriberto Rodríguez; **p. 182:** (arr.) consecuencias de los sismos en la Ciudad de México, 1985, fotografía: Adalberto Ríos; (centro) escolar, Ciudad de México, fotografía: Heriberto Rodríguez; (ab.) paciente y médico © Photo Stock; **p. 186:** (arr.) isla Cozumel; (ab.) isla Tiburón, fotografías: Bob Schalkwijk.

Geografía. Cuarto grado
se imprimió por encargo de la Comisión
Nacional de Libros de Texto Gratuitos,
en los talleres de Offset Multicolor, S.A. de C.V.,
con domicilio en Calzada de la Viga No. 1332,
Col. El Triunfo, C.P. 09430, México, D.F.,
en el mes de junio de 2011.
El tiraje fue de 3'132,050 ejemplares.

Impreso en papel reciclado

¿Qué opinas del libro de *Geografía cuarto grado*?

Tu opinión acerca de este libro es importante para que podamos mejorarlo.
Marca con una ✓ tu respuesta y si tienes alguna duda, dirígete a tu maestro.

	Me gustaron mucho	Me gustaron poco	No me gustaron
Las imágenes de las lecciones			
Las actividades que se presentan			
	Siempre	**A veces**	**Nunca**
El lenguaje utilizado es claro.			
Las instrucciones para realizar las actividades son claras.			
Las imágenes me ayudaron a comprender el tema tratado.			
El atlas me ayudó a realizar las actividades de exploración.			
Las cápsulas me proporcionaron información interesante y útil sobre el contenido y las actividades.			
Las actividades de evaluación de cada bloque me permitieron reflexionar sobre lo que he aprendido.			

Las actividades me permitieron	Sí	Poco	Nada
Interpretar información en distintos mapas.			
Comprender y utilizar la información contenida en el curso.			
Respetar la diversidad natural y cultural de mi entorno (mi país, el mundo).			
Hacer las cosas por mí mismo.			
Trabajar en equipo y en grupo.			

¿Qué sugerencias te gustaría hacer para mejorar tu libro? ______________________________

____

____

____

____

¡Gracias por tu colaboración!

SEP

DIRECCIÓN GENERAL DE MATERIALES EDUCATIVOS
Dirección de Desarrollo e Innovación de Materiales Educativos
Viaducto Río de la Piedad 507, cuarto piso,
Granjas México, Iztacalco,
08400, México, D. F.

Datos generales

Entidad: ______________________________

Escuela: ______________________________

Turno: Matutino ☐ Vespertino ☐ Escuela de tiempo completo ☐

Nombre del alumno: ______________________________

Domicilio del alumno: ______________________________

Grado: ______________